Livro **Brazil, Brasil**
BrazilFoundation 10 Anos

Coordenação Editorial | *Managing Editor*
Susane Worcman

Texto | *Author*
Mauro Ventura

Memória Institucional | *Institutional Memory*
Leona Forman
Susane Worcman
Patricia Lobaccaro

Projeto Gráfico | *Graphic Design*
Premiata Design
Arte Capa | *Cover Book*
Mônica Machado

Fotografias | *Photography*
Bernardo Carvalho
Christina Bahn
Luiz C. Ribeiro
Acervo BrazilFoundation | BrazilFoundation
Photo Archive
Acervo Projetos Apoiados | Grantee Archive

Revisão | *Copy Editor*
Cristina Barreto
Versão para o Inglês | *Translator*
Alex Forman

Colaboração | *Contributors*
Lívia Duarte
Carla Lima
Equipe BrazilFoundation Rio | BrazilFoundation
Rio Staff

Editora
Aeroplano

Projeto BrazilFoundation 10 Anos
Project BrazilFoundation 10 Years

Memória | *Memory*
Museu da Pessoa
Metodologia e Sistematização | *Methodology and Systematization*
Hector Castillo Berthier
Avaliação | *Evaluation*
Caio Silveira e Ricardo Mello
Pesquisa | *Research*
Marcia de Paiva

CIP-BRASIL. CATALOGAÇÃO NA PUBLICAÇÃO
SINDICATO NACIONAL DOS EDITORES DE LIVROS, RJ

V578b

Ventura, Mauro, 1963-
    Brazil, Brasil: 10 anos, uma ideia, muitas histórias / Mauro Ventura; [tradução Alex Forman]. - 1. ed. - Rio de Janeiro : Aeroplano, 2013.
    256 p.: il.; 25 cm.

    Título e texto em português e inglês
    ISBN 978-85-7820-100-5

    1. Organizações não governamentais. 2. Filantropia. 3. Desenvolvimento social - Brasil. I. Forman, Alex. II. Brazil Foundation. III. Título.

13-06782
                    CDD: 320
                    CDU: 32

01/11/2013 04/11/2013

BrazilFoundation

Brazil, *Brasil*

10 Anos
Uma Ideia
Muitas Histórias

10 Years
One Idea
Many Stories

Texto | Text
Mauro Ventura

Patrocínio   Apoio   Realização

Brazil, *Brasil*

Uma Ideia
Muitas Histórias

Junto a vinte organizações que fizeram parte da nossa trajetória, mergulhamos fundo na sistematização de nossas memórias e na reflexão sobre práticas e resultados. Com este livro, compartilhamos 10 anos dessa aventura com todos que buscam conhecer mais sobre o mundo do apoio a organizações sociais e seu universo pleno de força, destemor e confiança de que vidas e realidades podem ser transformadas.

One Idea
Many Stories

BrazilFoundation, together with twenty organizations that had a part in our trajectory, dove deep into our memories to reflect on our practices and achievements. With this book we share the adventures from our first ten years with those who wish to learn more about supporting social initiatives in Brazil, and from our experience in their ability to transform lives and realities.

Brazil,
Brasil

Uma Ideia
Muitas Histórias

Junto a vinte organizações que fizeram parte da nossa trajetória, mergulhamos fundo na sistematização de nossas memórias e na reflexão sobre práticas e resultados. Com este livro, compartilhamos 10 anos dessa aventura com todos que buscam conhecer mais sobre o mundo do apoio a organizações sociais e seu universo pleno de força, destemor e confiança de que vidas e realidades podem ser transformadas.

One Idea
Many Stories

BrazilFoundation, together with twenty organizations that had a part in our trajectory, dove deep into our memories to reflect on our practices and achievements. With this book we share the adventures from our first ten years with those who wish to learn more about supporting social initiatives in Brazil, and from our experience in their ability to transform lives and realities.

BrazilFoundation 10 Anos
BrazilFoundation 10 Years

A visita de uma pessoa do "outro mundo"

1

A visitor from "another world"

É raro alguém de fora aparecer em Santa Rita, povoado a 82 quilômetros de São Luís, no Maranhão, então os moradores trataram de recepcionar a ilustre visitante à altura. Assim que Susane Worcman, diretora da **Brazil**Foundation, chegou, se deparou com a faixa de boas-vindas: "Welcome, Mrs. Worcman".

– Nossa, obrigada – agradeceu.

O grupo levou um susto com a reação daquela mulher de aparência estrangeira e sobrenome incomum, ainda por cima representante de uma instituição chamada **Brazil**Foundation:

– Mas a senhora fala português? – disse um deles.

– Bom, eu nasci na Bahia.

– Ai, que alívio, ninguém aqui fala inglês.

Eles haviam gasto tudo o que sabiam da língua naquela faixa e não tinham ideia de como iriam fazer para se comunicar. O que eles descobriram naquela manhã de 2003 era que Susane não somente era baiana como fazia parte de uma organização comandada por brasileiros que tem escritórios no Rio de Janeiro e em Nova York. Só quem conhecia as origens de Susane e da fundação, criada três anos antes para ajudar pequenas e médias Organizações Não Governamentais (ONGs), era Raimundo Muniz, gestor do Cem Modos, que desde 1985 atua nos quilombos da região – só em Santa Rita são 27 comunidades formadas por descendentes de escravos. (1)

It is rare for someone from the outside world to visit Santa Rita – a small village eighty-two kilometers from São Luis in the state of Maranhão, Brazil – so residents roll out the red carpet for their illustrious guests. The moment Susane Worcman arrived she was greeted warmly in English!

"Welcome, Mrs. Worcman."

"Obrigada," she thanked them, in her native Portuguese.

The group was shocked by her response. She was a foreign-looking woman with a strange last name, and she represented **Brazil**Foundation, an institution with an English name.

"You speak Portuguese?" someone asked.-

"Well, I was born in Bahia."

"Oh, what a relief. No one here speaks English!"

They had already exhausted their knowledge of the English language, and hadn't known how they would continue communicating. But they discovered that morning in 2003 that not only was Susane from Bahia, Brazil, but that she belonged to an organization whose leadership and volunteer base was Brazilian, with offices in New York and Rio de Janeiro. Raimundo Muniz knew that **Brazil**Foundation had been created three years earlier to support non-governmental agencies (NGOs) in Brazil. Raimundo heads Cem Modos, an NGO that got its start in 1985 working with the region's quilombos (freed slave enclaves). In Santa Rita alone there are twenty-seven communities formed of descendants of slaves. (1)

Susane estava ali para avaliar o trabalho do grupo e tinha Raimundo como seu cicerone. De Santa Rita eles seguiram para o primeiro quilombo, Cariongos, e de lá, para outro, Jequiri. A estrada de terra parecia não ter fim, a tal ponto que o carro deu um basta e quebrou no caminho. Nada que assustasse Raimundo. Não que andasse relaxado. A exemplo de seus colegas de grupo, sentia-se ao mesmo tempo ansioso e eufórico. "Nunca uma pessoa do outro mundo veio nos visitar", pensou.

E não era uma visita qualquer. Uma avaliação positiva de Susane poderia transformar a vida daquela região, marcada pela falta de água potável e por estradas ruins, escolas improvisadas e postos de saúde precários.

– Podemos continuar a pé. É logo ali – ele tranquilizou a parceira de viagem.

Mais de duas horas de caminhada depois, sob o sol forte de meio-dia, eles chegavam à pequena comunidade de Jequiri, caracterizada pela extrema pobreza. Dali foram para o quilombo Sítio do Meio, que apesar do nome era o último da lista. Susane viera conhecer o projeto "Remédios e comidas de encantados e voduns".

Além do nome curioso, o que atraíra a atenção dos analistas da BrazilFoundation, reunidos no Rio, tinha sido a ideia original de incentivar as mulheres quilombolas a cultivar plantas medicinais e alimentícias, perpetuando os conhecimentos de seus antepassados e aumentando a renda das famílias.

"Susane estava ali para avaliar o trabalho do grupo Cem Modos (...). A estrada de terra parecia não ter fim, a tal ponto que o carro deu um basta e quebrou no caminho."

"Susane had come to Santa Rita to evaluate Cem Modos' work (...).
The dirt road seemed endless, and along the way their little car had soon had enough and broke down."

Susane had come to Santa Rita to evaluate Cem Modos' work. Raimundo was her guide. From Santa Rita they planned to travel to Cariongos, the first quilombo on their list, and then to Jequiri. The dirt road seemed endless, and along the way their little car had soon had enough and broke down. Nothing would dissuade Raimundo, however. Not that he was relaxed. Like his colleagues, he felt nervous and elated. "No one from another world has ever visited us," he thought.

It was not just any visit. Susane's positive evaluation could potentially transform the quality of life they experienced in a region famous for its lack of potable water, bad roads, improvised schools and precarious health clinics.

"We will continue on foot. It's just up ahead," Raimundo said, putting his travel partner at ease.

More than two hours later, walking under the hot, mid-day sun, they arrived at the small community of Jequiri, which is characterized by its extreme poverty. From there they went to the quilombo called Sítio do Meio, which despite every indication of being the "one in the middle," was the last on their list. Susane had come to see the project "Remédios e comidas de encantados e voduns" focused on the remedies and foods of healers and voduns first hand.

Aside from its curious name, what had attracted the attention of **Brazil**Foundation analysts in Rio de Janeiro was the project's original idea to encourage women of the quilombo to cultivate medicinal and alimental plants in order to generate income and to perpetuate the wisdom of their ancestors.

Susane foi apresentada à mãe Suzana. Aquela senhora magrinha, de nome quase homônimo ao seu, era a líder espiritual e comunitária, guardiã dos saberes locais. Susane conheceu a horta, viu a casa de farinha e tomou contato com xaropes, pomadas e benzeduras. Cumpridos os compromissos profissionais, era hora da festa. A visitante não poderia deixar Sítio do Meio sem ser apresentada ao orgulho regional, o tambor de crioula. À medida que os homens batiam nos tambores em círculo, as mulheres giravam no meio da roda, uma de cada vez. A única saia usada na cerimônia era passada de mão em mão. Susane já estava encantada com o espetáculo antes mesmo da entrada em cena da última dançarina, justamente mãe Suzana, que rodopiou com desenvoltura, indiferente a seus 92 anos.

Susane was introduced to Mãe Suzana. The thin, elderly woman, Susane's near-namesake, was the group's spiritual and communitarian leader, the guardian of local wisdoms. Susane was shown the garden, the flourmill, and the syrups, pomades, and unguents produced there. Then, after Susane had completed her professional duties, the community threw her a party. The auspicious visitor could not leave Sítio do Meio before seeing its regional pride, the tambor de crioula. As men beat the drums, women danced one by one in the middle of circle. They passed a single skirt hand-to-hand to use during the ceremony. Susane was already delighted by the spectacle when the last dancer entered: Mãe Suzana twirled with ease, in spite of her ninety-two years.

"...mãe Suzana. Aquela senhora magrinha era a líder espiritual e comunitária, guardiã dos saberes locais."

"...Mãe Suzana. That thin, elderly woman, practically Susane's namesake, was the group's spiritual and communitarian leader, the guardian of local wisdoms."

"À medida que os homens batiam nos tambores em círculo, as mulheres giravam no meio da roda, uma de cada vez."

"As men beat the drums, women danced one by one in the middle of circle."

– Quando buscamos a BrazilFoundation, não acreditávamos muito que pudéssemos ser selecionados, pois somos do Nordeste, quase sempre excluído de tudo – diz Raimundo hoje.

Deu certo. O apoio, além de ajudar a melhorar a vida da região, permitiu que o grupo Cem Modos garantisse assento em três entidades de políticas públicas de Santa Rita, o Conselho Municipal de Direitos da Criança e do Adolescente, o Conselho Tutelar e o Conselho de Segurança Alimentar.

"When we applied for a BrazilFoundation grant, we never thought we might be selected; we are from the Northeast, after all, we are almost always excluded from everything," Raimundo says today.

It worked out. The support helped improve the quality of life in the region, and Cem Modos was invited to join the committees of three public policy-making entities in Santa Rita: the Conselho Municipal de Direitos da Criança e do Adolescente (a municipal council on the rights of children and adolescents), the Conselho Tutelar (a tutelary council) and the Conselho de Segurança Alimentar (a council on nutritional safety).

"Não acreditávamos muito que pudéssemos ser selecionados, pois somos do Nordeste, quase sempre excluído de tudo"
"We never thought we might be selected; we are from the Northeast, after all, we are almost always excluded from everything,"

Uma ponte entre dois países

2

A bridge between two countries

Do encontro entre duas mulheres, Leona Forman e Susane Worcman, nasceu uma instituição única na história do Brasil. A BrazilFoundation surgiu do desejo de Leona de retribuir a acolhida que teve no país onde chegou aos 13 anos. Junto com a antiga colega de escola Susane, ela criou uma fundação que hoje, mais de uma década depois, transformou a vida de milhares de brasileiros pobres. Se faltavam dinheiro e conhecimento às duas, sobravam a audácia de pensar que podiam abranger o Brasil todo e a coragem de ousar.

A razão do sucesso talvez esteja no perfil da instituição: mobilizar a comunidade brasileira nos Estados Unidos e, com o estímulo da lei americana de dedução de imposto de renda, arrecadar fundos no exterior para financiar projetos sociais de pequenas e médias ONGs no Brasil, que de outra forma jamais conseguiriam patrocínio. Ou pode ser que a resposta esteja no apoio técnico que se soma ao auxílio financeiro e permite um acompanhamento próximo, amigável e constante do trabalho que está sendo feito, garantindo a continuidade e a conclusão das propostas, mesmo que com recursos modestos. Ou, quem sabe, o segredo esteja na qualidade dos projetos, consequência de visitas prévias de avaliação e de uma criteriosa seleção.

From an encounter between two women, an institution was born that is unique to the history of Brazil. BrazilFoundation emerged as a way for Leona Shluger Forman to give something back to the country that had so warmly accepted her family when they emigrated from China in 1953, when she was thirteen. She created BrazilFoundation with her childhood friend and classmate Susane, and in little more than a decade, they have helped to transform the lives of thousands of poor Brazilians. If they lacked financial and institutional resources in the beginning, they had both the audacity to think that they could reach across Brazil and the courage to dare to.

Perhaps we can measure Brazil Foundations' success by its mission to mobilize the Brazilian community in the United States and – through use of IRS tax exemptions – to fundraise for the local social initiatives of small- and medium-sized NGOS in Brazil, who would have difficulty finding support elsewhere. And BrazilFoundation's success is due to its commitment to provide auxiliary technical aid, close monitoring – in an amicable and constant working relationship – of the work being done by NGOs to guarantee the growth and implementation of grantees' projects. This is borne out in the high quality of the projects themselves, selected through a rigorous process that includes on-site visits.

O mais provável é que os bons resultados da BrazilFoundation venham da combinação desses fatores.

Leona e Susane - a primeira em Nova York, a segunda no Rio - comandaram juntas a fundação em seus primeiros dez anos de funcionamento, de 2001 a 2011, período abordado por este livro. Ao lado de um grupo de colaboradores, as duas pouco a pouco eliminaram dúvidas, conquistaram prestígio, atraíram voluntários, montaram uma rede de doadores nos Estados Unidos, ajudaram a criar uma cultura da filantropia brasileira no exterior, tornaram mais visível o trabalho das ONGs do Brasil, promoveram mudanças sociais e transformaram a BrazilFoundation num caso sem precedentes no cenário filantrópico nacional.

Do trabalho da instituição, sai um Brasil mais rico e diversificado, que descobre soluções inovadoras e revela líderes locais que não se deixam abater pelas limitações e, em vez da resignação, partem para a ação, como se verá nas páginas a seguir.

Positive results are deriving from a combination of these factors.

Leona and Susane – in New York and Rio de Janeiro, respectively – together oversaw BrazilFoundation in its first ten years (2001-2011) which are covered in this book. With their respective teams, the two steadily eliminated concerns, gained prestige, attracted volunteers and a network of donors in the United States, and helped to build a Brazilian philanthropic culture abroad. In addition, they created a platform to promote with greater visibility the work of NGOs, and through them social change in Brazil. BrazilFoundation is a case without precedent in Brazilian philanthropy.

BrazilFoundation seeks to recognize innovative solutions and discover local leaders working unhindered by their limitations – who, instead of being resigned to their plight, take action. From this work emerges a richer and more diversified Brazil.

Do trabalho da instituição, sai um Brasil mais rico e diversificado, que descobre soluções inovadoras e revela líderes locais que não se deixam abater pelas limitações e, em vez da resignação, partem para a ação, como se verá nas páginas a seguir.

__Brazil__Foundation recognizes innovative solutions and discovers local leaders who work unhindered by their limitations - instead of being resigned to their plight, they take action - and from this work emerges a richer and more diversified Brazil.

3

A primeira reunião

The first meeting

Era feriado no Brasil naquela quarta-feira 15 de novembro de 2000, mas em Nova York a data da Proclamação da República seguia como um dia de trabalho qualquer para os brasileiros que moravam na cidade. Após o expediente, alguns deles saíram do escritório, mas, em vez de irem para casa, se dirigiram a outro endereço: o apartamento de Leona Forman, uma jornalista que havia trabalhado na Organização das Nações Unidas (ONU), e era casada com o antropólogo americano Shepard Forman. No grupo de 17 pessoas (2), em sua maioria entre 26 e 30 anos, todas bem-sucedidas profissionalmente, havia, além dos brasileiros, uma colombiana, uma argentina, um italiano, uma norueguesa e três americanos. Eles tinham um desejo em comum: "fazer algo" pelo Brasil. Quem convocara a reunião havia sido Leona. Em seus tempos na ONU, ela percebeu que as organizações não governamentais dispõem de uma capacidade, um talento, uma flexibilidade e um jogo de cintura que nem governos e nem empresas têm. Mas, ao mesmo tempo, viu a dificuldade que o terceiro setor enfrenta para levantar recursos e ganhar a confiança dos outros dois setores, o público e o privado. Para reduzir esse desequilíbrio, veio a ideia de criar uma fundação que arrecadasse fundos nos Estados Unidos para investir em projetos sociais no Brasil em cinco áres temáticas: educação, saúde, direitos humanos, cidadania e cultura.

It was a holiday in Brazil on that Wednesday, November 15, 2000. But in New York, the day of the Proclamation of the Republic of Brazil represented just another workday for Brazilians living in the city. After business hours, they left their offices. But some, instead of going home, came to the apartment of Leona Shluger Forman, a journalist who had worked at the United Nations for many years, and Shepard Forman, the American anthropologist to whom she is married. Seventeen people (2) met at the Formans' apartment that night: mostly Brazilians or Brazilian-Americans between the ages of 26 and 30, all successful professionals. In the group of volunteers there were also professionals from Colombia, Argentina, Italy, Norway and the United States. They had a common desire to "do something" for Brazil. Leona had called the meeting. During her years at the UN, she had perceived that NGOs have the capacity, talent, flexibility and influence that neither governmental agencies nor businesses have. But, she also recognized the non-profit sector faced more challenges in fundraising and gaining the trust of the other sectors, public and private. To reduce this imbalance, she developed the idea of searching for funding in the United States to invest in social projects in Brazil in five thematic areas: Education, Health, Human Rights, Participatory Development and Culture.

Cinco dias depois do encontro, ela enviou uma carta ao grupo de voluntários resumindo o que havia sido discutido na reunião. Entre os pensamentos expressos por eles naquela noite, estavam o "sentimento de que era crucial participar de algo que faria diferença", o "sonho de combater a fome e a percepção de que fome é violência", a "necessidade de combater a violência" e o "cuidado com as organizações desonestas, com a corrupção e com os projetos fracassados".

Um ponto importante era a divisão de tarefas. Foram criados três grupos de trabalho. O primeiro iria selecionar duas ou três ONGs sérias de cada uma das cinco áreas temáticas para apresentá-las a potenciais doadores como modelos do trabalho das organizações não governamentais no Brasil. O segundo grupo ficaria responsável pela captação de recursos, planejando eventos e contactando empresas e fundações privadas. E o terceiro cuidaria do desenvolvimento institucional, tratando das comunicações, do site, dos materiais promocionais, das listas de contato, do banco de dados, do plano de negócios, da criação de conselhos consultivos e da elaboração de uma rede de integrantes.

Tinha início ali a BrazilFoundation. Na segunda reunião, no dia 12 de dezembro, já estava presente uma ex-colega de escola de Leona, Susane Worcman, que cuidaria do escritório no Rio de Janeiro, enquanto Leona ficaria à frente das atividades em Nova York.

Five days after this first meeting, Leona sent a letter to the group summarizing what had been discussed. Among the thoughts expressed that night, she noted the prevalent feeling that it was "of the essence to participate in something that would make a difference"; the dream to "combat hunger and the perception that hunger is violence"; and the necessity to "combat violence"; and, to be prudent about "corrupt institutions, corruption in general, and project failures."

An important issue was the division of labor. Three working groups were established. The first would select two or three serious organizations in each of the five areas to present to potential American funders as model NGOs in Brazil. The second group would be responsible for fundraising, planning events, and reaching out to businesses and private institutions. The third would be responsible for institutional development, communications, a website, promotional materials, contact lists, databases, a business plan, consultancies, and creating a network of members.

And that is how the BrazilFoundation got its start. On December 12, 2000, at the second meeting, Leona's old schoolmate was already present. It was established that Susane Worcman would take care of the office in Rio de Janeiro, while Leona would direct activities in New York.

4

Um Brasil visto de baixo para cima

A Brazil seen from the bottom up

A BrazilFoundation começou a repassar recursos menos de dois anos depois, em 2002. A fundação lançou um edital na internet e se inscreveram 73 projetos, dos quais foram apoiados quatro. No ano seguinte, a expectativa era de que o número de candidatos saltasse para 200, talvez 250. Chegaram 895 propostas em 2003, de todos os cantos do Brasil. O número elevado assustou Susane. Não havia equipe nem espaço físico que desse conta da procura. Ela percebia ali que, sem planejar, a BrazilFoundation vinha preencher uma lacuna no universo das organizações sociais brasileiras. Atendia às ONGs de pequeno e médio porte, que trabalhavam em total isolamento e viviam desamparadas pela filantropia tradicional. Com seus projetos simples, muitas vezes mal redigidos e com falhas de informação, elas dificilmente conseguiriam ganhar um edital e estavam fora do alcance das fundações, dos grandes patrocinadores e das agências financiadoras. Estariam condenadas a caminhar sozinhas, apesar de apresentarem soluções criativas, eficientes e pioneiras para seus problemas. Até que se depararam com uma organização de nome americano que apresentava um edital fácil de preencher e oferecia 10 mil dólares. Natural tanta procura. De modo geral, o apoio da BrazilFoundation foi o primeiro que tiveram. Susane explica:

BrazilFoundation began its grant making activities less than two years later, in 2002. An open call via the Internet drew seventy-three project proposals, of which four were selected. The following year, it was expected that the number of project submissions would increase to two hundred, maybe even two hundred fifty. In fact, 895 proposals were submitted from all over Brazil. The elevated number surprised Susane. She didn't have a team or the physical space to handle the selection process. She was pleased to note that BrazilFoundation filled a gap in the universe of Brazilian philanthropy: it was attending to the needs of small- and medium-sized NGOs that worked in isolation, unprotected by traditional philanthropy. Their simple but effective projects offered creative and pioneering solutions to community problems. But they were poorly planned and at times rife with misinformation, making it more difficult for them to achieve funding from big donors and international financial agencies. The local NGOs were condemned to a solitary path. That is, until they heard that BrazilFoundation had created an accessible submission process, making $10,000 dollars available to each grantee. It was only natural that the grants became sought-after.

Generally, for these groups a BrazilFoundation grant was their first instance of financial aid. Susane explains:

"Chegaram 895 propostas em 2003, de todos os cantos do Brasil. O número elevado assustou Susane. Não havia equipe nem espaço físico que desse conta da procura."

"In fact, 895 proposals were submitted from all over Brazil. The elevated number surprised Susane. She didn't have a team or the physical space to handle the selection process."

– Ao começar apoiando projetos pequenos, pouco ambiciosos, vindos do interior, percebemos que estávamos alcançando organizações que não tinham acesso a outros financiadores. Nosso dinheiro era limitado, não faríamos diferença em instituições enormes. Acabamos ocupando uma brecha e isso deu muito certo, permitindo que ficássemos, em pouco tempo, conhecidos em todo o Brasil.

– Essas iniciativas são um retrato do Brasil visto de baixo para cima, a partir das necessidades das comunidades – diz Leona.

A fundação surgiu com uma missão: "Gerar recursos para projetos sociais que transformem a realidade do Brasil." Isso só é possível por causa do trabalho conjunto dos dois escritórios, no Rio e em Nova York. Um não existe sem o outro. Sem o dinheiro arrecadado nos Estados Unidos, não se financiam os projetos no Brasil. E sem a descoberta de boas soluções nascidas nas comunidades brasileiras, não se consegue o apoio econômico no exterior.

Por isso, enquanto Leona rodava a comunidade brasileira e o círculo de conhecidos americanos em Nova York em busca de fundos, Susane batia perna pelo Brasil esquecido no mapa.

In the beginning, supporting small, modest projects with short-term aspirations from the interior, we perceived we were reaching organizations that did not have access to other sources of income. Our money was limited; our funding would not make a difference to enormous organizations. We ended up occupying a niche and this really worked in our favor, allowing us to become known across Brazil in very little time.

"These initiatives are a portrait of Brazil seen from the bottom up," says Leona, "growing out of the needs of the community."

BrazilFoundation began with a mission: "to generate resources for social projects that transform the reality of Brazil." Fulfilling this mission is only possible when the work of BrazilFoundation's Rio and New York offices are combined. One does not exist without the other. Were it not for money raised in the United States, there would be no grantees in Brazil. And were it not for finding good solutions born out of Brazilian communities, there would be no financial support abroad.

Thus, while Leona led a community of Brazilian and American volunteers in the United States to search for funds, Susane hit roads unknown, all but forgotten on maps, in Brazil.

Por isso, enquanto Leona rodava a comunidade brasileira e o círculo de conhecidos americanos em Nova York em busca de fundos, Susane batia perna pelo Brasil esquecido no mapa.

Thus, while Leona led a community of Brazilian and American volunteers in the United States to search for funds, Susane hit roads unknown, all but forgotten on maps, in Brazil.

Por isso, enquanto Leona rodava a comunidade brasileira e o círculo de conhecidos americanos em Nova York em busca de fundos, Susane batia perna pelo Brasil esquecido no mapa.

É que desde o começo havia a certeza de que era necessário visitar pessoalmente os projetos semifinalistas, conferindo se o que havia sido proposto pela ONG tinha chances de acontecer, se o que estava descrito correspondia ao que era feito, se o que era dito se traduzia em ações. Ou seja, o projeto precisava ser possível, inovador e com atuação local. A decisão levou Susane e os analistas da BrazilFoundation a percorrerem o país de Norte a Sul. Andaram de avião, barco, canoa, carro, jipe, ônibus, trem de carga, moto, bicicleta, burro. Na falta de transporte, iam a pé.

Thus, while Leona led a community of Brazilian and American volunteers in the United States to search for funds, Susane hit roads unknown, all but forgotten on maps, in Brazil.

From the very beginning, it was determined that BrazilFoundation staff would personally visit each semifinalist project to judge if the proposed project had a chance of being realized; if what was described corresponded with what was being done; and if what was written could be translated into action. Simply put, the project had to be viable, innovative and local. The selection process took Susane and other BrazilFoundation staff all over Brazil, north to south. They travelled by plane, boat, canoe, car, jeep, bus, cargo train, motorcycle, bicycle and mule. Where there was no transportation, they travelled on foot.

5

A aposta no pioneirismo

Betting on pioneerism

Esse caráter desbravador da BrazilFoundation tem encontrado saídas originais por todo o país, como no caso da organização Ação Moradia, criada em 1993 em Uberlândia, Minas Gerais, por Eliana e Oswaldo Setti. Assim como o Cem Modos, ela também estava entre as 17 que seriam beneficiadas naquele segundo ano. Seu projeto habitacional "Tijolos ecológicos" chamou a atenção da instituição ao promover a construção de moradias dignas em favelas com o uso de tijolos que dispensam a queima de madeira ou óleo em sua fabricação. De tecnologia simples, eles são feitos pelos próprios moradores e utilizados para fabricar residências populares em regime de mutirão, com orientação técnica, qualidade e baixo custo. Como condição para participar do programa da Ação Moradia, é preciso frequentar oficinas de cidadania e qualificação profissional, como construção civil, carpintaria, instalação elétrica e hidráulica, manicure, cabeleireiro, corte e costura, artesanato, pintura e culinária. A iniciativa apoiada pela BrazilFoundation estimulava a relação familiar, despertava a solidariedade, aumentava a autoestima, combatia o déficit habitacional e preservava o meio ambiente. Eliana resume a principal contribuição da fundação ao pequeno grupo de voluntários da época:

BrazilFoundation's trailblazing characteristic has led to discoveries of original initiatives all over the country. One such case is Ação Moradia, created in 1993 by Eliane and Oswaldo Setti, in Uberlândia, Minas Gerais. As with Cem Modos, Ação Moradia's grant was one of seventeen given out in the second year of BrazilFoundation's grantmaking activities. What drew BrazilFoundation to this organization was a habitation project, "Tijolos Ecológicos." The project envisioned the construction of dignified housing in favelas, made of ecological bricks that burn neither wood nor oil in their fabrication. The technology is simple. In order to build popular housing of high quality and low-cost, the bricks are made by the residents themselves, with some technical guidance. The dwellings are then erected by the community in the style of a barn raising. As a prerequisite for participating in the Ação Moradia program, one must attend workshops on citizenship and complete some professional training in areas such as civil construction, carpentry, electric and hydraulic installation, manicure, hairdressing, pattern-making and sewing, crafts, painting and culinary arts. With BrazilFoundation support, the initiative stimulated familial relations, awakened solidarity, and raised self-esteem in the community. It also staved off a housing deficit and preserved the environment. Eliane summarizes BrazilFoundation's primary contribution to the then-small group of volunteers:

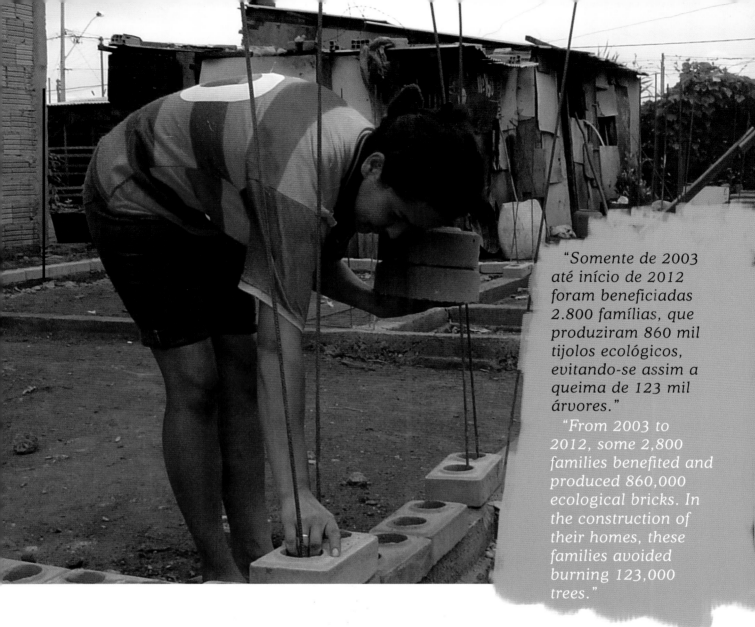

"*Somente de 2003 até início de 2012 foram beneficiadas 2.800 famílias, que produziram 860 mil tijolos ecológicos, evitando-se assim a queima de 123 mil árvores.*"

"*From 2003 to 2012, some 2,800 families benefited and produced 860,000 ecological bricks. In the construction of their homes, these families avoided burning 123,000 trees.*"

– Ela nos permitiu acreditar que nosso projeto era viável e que teria potencial para se expandir.

Como de fato se expandiu, a tal ponto que a organização foi novamente selecionada, em 2006 (com "Tijolos ecológicos – Sistematizando para multiplicar") e 2007 (com "Construção cidadã"). Para cada mil tijolos, sete árvores são poupadas. Somente de 2003 até início de 2012 foram beneficiadas 2.800 famílias, que produziram 860 mil tijolos ecológicos, evitando-se assim a queima de 123 mil árvores. As casas também contam com aquecedores solares de água, para captar a energia do sol.

"They allowed us to believe that our project was viable and had potential for growth."

It did, in fact, grow. So much so, that in 2006 it was selected for a grant again for the replication of the original project in other communities, "Tijolos Ecológicos — Sistematizando para Multiplicar"; and, then again, in 2007, with the project, "Construção Cidadã" – contributing to the development of communities. From 2003 to 2012, some 2,800 families benefited and produced 860,000 ecological bricks. In the construction of their homes, these families avoided burning 123,000 trees. For every thousand bricks fabricated in this way, seven trees are saved. The houses also have solar water heaters to capture sun energy.

*A iniciativa apoiada pela **Brazil**Foundation estimulava a relação familiar, despertava a solidariedade, aumentava a autoestima, combatia o déficit habitacional e preservava o meio ambiente.*

*With **Brazil**Foundation support, the initiative stimulated familial relations, awakened solidarity, and raised self-esteem in the community. It also staved off a housing deficit and preserved the environment.*

6

Um apoio que vai muito além do dinheiro
A capacitação

A Support that goes beyond funding
Training

A crença da fundação no pioneirismo é ressaltada pelo sociólogo Caio Silveira e pelo economista Ricardo Mello, da UFRJ, autores de um trabalho de avaliação sobre os dez anos da BrazilFoundation: "Talentos são identificados, oportunidades de acesso a recursos financeiros e técnicos são criadas e novas frentes de ação são abertas." (3)

Mas a ousadia e a experimentação sempre estiveram associadas à viabilidade e à eficácia do que é proposto. Inicialmente cada projeto recebia o equivalente a 10 mil dólares, por um ano. Com a queda do dólar, a fundação percebeu que era mais seguro definir a doação em real. Atualmente, são destinados R$ 40 mil. A verba pode parecer modesta, mas é capaz de fazer muita diferença. Oswaldo Setti, da Ação Moradia, comenta:

– Foram apenas 10 mil dólares, mas 10 mil dólares que mudaram a vida da nossa organização.

Ainda mais porque são complementados por dois outros benefícios, mais difíceis de mensurar, que fazem render o dinheiro para muito além da quantia recebida: a capacitação e o monitoramento. Eles surgem como um ganho inesperado para os gestores, que tinham em conta apenas o aspecto financeiro.

"O trabalho da BrazilFoundation vai além de uma simples transferência de recursos às comunidades carentes", escreve a historiadora Márcia de Paiva no documento que registrou em 2011 a memória da instituição, feito pelo Museu da Pessoa. (4)

Sociologist Caio Silveira and economist Ricardo Mello, of the Universidade Federal de Rio de Janeiro - UFRJ, wrote a report evaluating the first ten years of BrazilFoundation activity. Silveira and Mello speak to BrazilFoundation's pioneering qualities: "Talents are identified, opportunities for access to financial and technical resources are created and new areas of action are defined." (3)

Daring and experimentation have always been associated with the viability and efficacy of proposed initiatives. At first, each selected project was granted the equivalent of US $10,000 per year. With Brazil's falling dollar rates, the Foundation chose to establish donations in Brazilian currency, the real. Grants are now valued at R $40,000. This amount might seem modest, but it makes a real difference. Ação Moradia's Oswaldo Setti comments:

"It was just $10,000. But ten thousand dollars that changed the future of our organization."

Funds are maximized when complemented by two other, more-difficult-to-measure attributes: capacity building and monitoring. These come as a surprise to initiative leaders who are expecting only financial support.

"BrazilFoundation's work goes way beyond the simple transfer of resources to needy communities," said historian Márcia de Paiva in Memória BrazilFoundation. (4)

"Mas o dinheiro não se converte em ideias, atitudes, vínculos sociais, autoestima, capacidade técnica e empreendedora.
Para isso existem justamente a capacitação e o monitoramento."

"But money cannot be converted into ideas, attitudes, social ties, self-esteem, technical capacity or business savvy.
To build those attributes, there is capacity building and monitoring."

Em sua avaliação, Caio Silveira e Ricardo Mello explicam por que é preciso pensar além do aspecto monetário, como faz a fundação: "O recurso financeiro se converte em equipamentos, em materiais de consumo, em horas técnicas de trabalho por um certo período – e possibilita realizar o projeto concebido. (...) Mas o dinheiro não se converte em ideias, atitudes, vínculos sociais, autoestima, capacidade técnica e empreendedora." Para isso existem justamente a capacitação e o monitoramento.

A capacitação começou em 2005, a partir da percepção de que as organizações sociais tinham dificuldades em sua gestão e na implementação dos projetos. Ela se dá num encontro inicial no estado do Rio em que estão presentes dois gestores de cada organização que terá apoio naquele ano. É um programa intenso de treinamento onde serão trabalhados temas relacionados à gestão e à comunicação institucional.(5) Durante três dias, eles ficam concentrados num hotel onde, de manhã à noite, participam de oficinas. Tomam contato com aspectos jurídicos de uma instituição, campanhas bem-sucedidas de arrecadação de recursos, uso de redes sociais, relação com a mídia, formas de comunicar o impacto do projeto. O encontro também é uma chance que têm de conhecer outras culturas e realidades. Em meio aos mais variados sotaques e faixas etárias, trocam experiências, compartilham saberes, dividem angústias, relatam dificuldades, conhecem os projetos de seus colegas, aprendem uns com os outros.

In their evaluation, Caio Silveira and Ricardo Mello explain why it is so important to think beyond monetary aspects, as BrazilFoundation does:

Financial resources become equipment, materials of consumption, hours worked over a specific period of time – and they make it possible to realize a proposed project. [. . .] But money cannot be converted into ideas, attitudes, social ties, self-esteem, technical capacity or business savvy.

To build those attributes, there is capacity building and monitoring.

BrazilFoundation introduced capacity building workshops in 2006 after perceiving that social organizations were struggling with the management and implementation of their projects. A BrazilFoundation conference held at a hotel in Rio de Janeiro state every year offers an intense weekend training program where themes related to management and institutional communications are explored. (5) Before they receive their grant, two coordinators from each grantee organization are invited to participate in three days of workshops, morning-to-night. They become knowledgeable in the juridical aspects of an organization, fundraising campaigns, social networking, media relations, and ways to disseminate the impact of their projects. The meetings are also an exchange of cultures and realities. Amid the most diverse accents and age groups, experiences, knowledge, anguishes, difficulties and projects are shared; participants learn from one another.

Certa vez, uma gestora de São Paulo comentou, a respeito de um cacique que também participava das oficinas: "Que país é esse? Em 60 anos, eu nunca tinha tido a oportunidade de conhecer um indígena."

As oficinas são dadas por facilitadores como Pedro Toledo, que fala de gestão financeira.

– Os gestores têm uma certa aversão à parte financeira. Muita gente não quer nem ouvir falar. No máximo contam com uma pessoa que entende um pouco do assunto e entregam tudo para eles. Explico que se tiverem esse preconceito vão ter muito mais dificuldade em administrar a instituição.

Ele passa regras de como aplicar os recursos, controlar as despesas, fazer o orçamento, elaborar um planejamento estratégico, gerar renda e prestar contas, e dá exemplos reais de projetos bem planejados que fracassaram por se perderem na parte financeira. E vale tudo para reduzir esse receio. Poesia de Vinicius, slide de monstro, comparação com maestro.

– O gestor tem que entender de gestão financeira como um maestro entende sua orquestra. Ele não tem que tocar cada instrumento, mas tem que saber o melhor efeito de cada um.

Como parte dos encontros de capacitação há a encenação de peças pelo grupo Artistas de Nós. No repertório da companhia estão seis espetáculos: "Lá no Morro Azul", "Avaliação, por qual caminho eu vou?", "Sustentabilidade, do que você precisa?", "Para que serve uma ONG" e "No Morro Azul moram meus sonhos", direcionados para os gestores das ONGs, e "O buraco", voltado para funcionários de empresas que atuam como voluntários em projetos sociais. "A BrazilFoundation percebeu que o teatro poderia ser uma importante ferramenta para facilitar o aprendizado e fixar determinados temas abordados durante os seus cursos de treinamento", escreve a historiadora Márcia de Paiva.

Once, a manager in São Paulo commented about an indigenous chief who was also participating in the workshops: "What country is this? In 60 years, I have never had the opportunity to meet an indigenous person!"

BrazilFoundation facilitators, like Pedro Toledo, run the workshops. Pedro speaks to financial management:

The project managers have a certain aversion to the financial aspects of what they do. Many don't want to even talk about it. At most they find a person they can count on who understands the subject, and hand it over. I explain to them that with this approach they will have much more difficulty administering their institution.

Instead, he gives them guidelines on how to apply their resources, how to control their expenses, how to make a budget, how to elaborate a strategic plan, how to generate income and pay bills. He gives examples of well-planned projects that failed when they got lost in the financials. Mitigating the fear of finances makes such a difference. Pedro shows slides: he reads aloud a poem by Vinícius de Morais that is projected on the screen; another slide compares financial management to a monster; a third compares project managers to maestros. And then he brings his point home: "The organization leader needs to understand financial management like a maestro understands his orchestra. He doesn't need to play an instrument, but he needs to know the best effect each can give."

As part of the conference, the group Artistas de Nós performs plays. The company's repertoire has six spectacles: "Lá no Morro Azul," "Avaliação, por qual caminho eu vou?" "Sustentabilidade, do que você precisa?" "Para que serve uma ONG," and "No Morro Azul moram meus sonhos"(There On The Blue Hill; Evaluation – What Path Shall I Take?; Sustainability – What Do You Need?; What Is An NGO Good For?; My Dreams Live On The Blue Hill). Audience participation includes the NGO managers, and a final play, "O buraco" (The Hole), is directed specifically for business employees volunteering in social projects.

O teatro tornou-se uma ferramenta fundamental na sensibilização dos gestores, motivando a reflexão e a apropriação dos conhecimentos, de forma geralmente articulada às oficinas. As apresentações teatrais 'abrem a cabeça e o coração das pessoas' e vêm revelando um efeito pedagógico impressionante.

The theater became a basic tool, effectively sensitizing project managers to reflect on and absorb what will, in more general ways, come up in the workshops. The theatrical presentation "opens a person's head and heart" to impressive pedagogical effect.

"Não raro a plateia se manifesta com risos e frases como 'me vi ali', 'aquela pessoa sou eu', 'é assim mesmo', 'é normal isso acontecer."

"It is not uncommon for the audience to burst into laughter or to emit phrases like 'I saw myself in that', 'that character is really just like me,' 'that's exactly how I see it,' 'that happens so often."

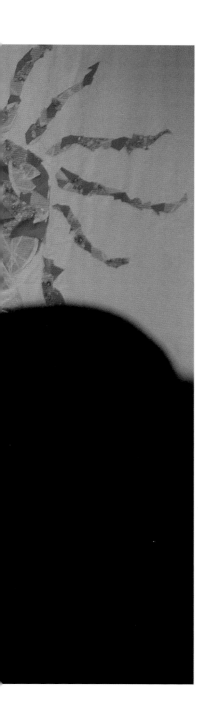

A ideia surgiu em 2006, de forma espontânea. Ao se deparar com o livro "Gestão de associações no dia a dia", de José Strabeli, que falava de um grupo que queria virar uma ONG, Clarissa Worcman, coordenadora de monitoramento da fundação, pensou: "Isso dá uma peça." Foi além. Quem sabe o espetáculo não poderia servir para abrir as oficinas de capacitação? Afinal, o livro mostrava as dificuldades de se criar uma associação, com toda a burocracia envolvida. Aos poucos, os personagens foram ganhando vida. Já com o texto delineado, Clarissa chamou dois amigos que conheceu quanto estudava teatro – os atores Ricardo Lyra, o Lirinha, e Márcia Alves – e começou a ensaiar. E assim surgiu "Lá no Morro Azul", que trata de maneira bem-humorada – como todas as peças – dos desafios dos moradores para trabalhar em conjunto e melhorar a vida da comunidade.

– Na nossa primeira apresentação, havia poucos gestores, umas dez pessoas. Estávamos muito nervosos e com a sensação: "Será que isso vai funcionar?" – lembra Clarissa.

Funcionou.

"BrazilFoundation observed that theatre is an important tool for facilitating learning and examining determined subjects during the training workshops," Márcia de Paiva writes.

The idea to use drama arose spontaneously in 2006. Having read José Strabeli's book, Gestão de Associações no Dia a Dia, about the daily activities of a group that became an NGO, BrazilFoundation's monitoring coordinator Clarissa Worcman thought: "This could be a play." She took it a step further. Why couldn't this play be the opening act for the training workshops? After all, the book shows the difficulties involved in creating an association, and all the bureaucracy involved. Little by little, the characters took on life. With the script outlined, Clarissa called two actor friends from her days as a theater student –Ricardo de Lyra, or "Lirinha," and Márcia Alves – and they began to rehearse. That is how "Lá no Morro Azul," like the other plays, became a light comedy dealing with the difficulties faced by residents in creating a better life for the community.

"There were only a few project managers at our first presentation, maybe ten people. We were nervous and wondered, 'Will this work?'" Clarissa recalls.

It did.

"As peças abordam, com uma linguagem lúdica, questões do cotidiano na área social, gerando empatia e identificação com o público, lançando ideias e despertando debates. O teatro, efetivamente, tornou-se uma ferramenta fundamental na sensibilização dos gestores, motivando a reflexão e a apropriação dos conhecimentos, de forma geralmente articulada às oficinas. As apresentações teatrais 'abrem a cabeça e o coração das pessoas' e vêm revelando um efeito pedagógico impressionante", atestam Caio Silveira e Ricardo Mello.

As peças incorporam questões comuns às organizações. Para escrever, Clarissa recolhe material das visitas às comunidades, do monitoramento, da capacitação e do contato com os gestores. Não raro a plateia se manifesta com risos e frases como "me vi ali", "aquela pessoa sou eu", "é assim mesmo", "é normal isso acontecer".

– As pessoas se identificam, se sentem representadas – constata ela.

A eficácia das oficinas de capacitação fez com que a metodologia fosse se aprimorando e hoje a fundação tem uma equipe especializada, que atende também a instituições como o HSBC, que querem melhorar seu investimento social e fortalecer as entidades que apoiam. A BrazilFoundation capacita em gestão, sustentabilidade e avaliação todos os gestores de projetos sociais que são apoiados pelo Instituto HSBC Solidariedade. Desenvolveu também um programa de apoio para os funcionários do banco, que são voluntários no trabalho social. Ao longo dos anos, a fundação fez oficinas para todas as organizações apoiadas pelo banco. Já foram promovidas igualmente oficinas para empresas como Vale do Rio Doce, TAM e Furnas.

Caio Silveira and Ricardo Mello write:
"The plays deal with everyday issues in the social arena in a playful language, generating empathy and identification with the public, raising ideas and instigating debates. The theater became a basic tool, effectively sensitizing project managers to reflect on and absorb what will, in more general ways, come up in the workshops. The theatrical presentation "opens a person's head and heart" to impressive pedagogical effect."

The plays incorporate questions common to these organizations. To write the scripts, Clarissa gathers material on her visits to the communities, during monitoring and training, and through her contact with organization managers. It is not uncommon for the audience to burst into laughter or to emit phrases like "I saw myself in that," "that character is really just like me," "that's exactly how I see it," or "that happens so often."

"People identify, they feel represented," says Clarissa.

The efficacy of these workshops has improved the training methodology over time and today, BrazilFoundation has a specialized team that also does outreach with institutions like HSBC, to improve their social investments by strengthening the initiatives they support, and offers workshops in management, sustainability and evaluation to managers of social projects funded by HSBC Solidariedade. It has also developed a special program to stimulate volunteering among HSBC employees, and has provided outreach workshops for companies such as Vale, TAM and Furnas.

Um apoio que vai muito além do dinheiro
O monitoramento

7

A support that goes beyond funding
Monitoring

Outro diferencial da **Brazil**Foundation é o monitoramento. Após a capacitação dos gestores e o início dos trabalhos, começa o acompanhamento dos projetos para que os objetivos propostos pelas organizações sejam atingidos. Ele é feito por meio de assistência técnica permanente e relatórios periódicos. Os contatos são mantidos por e-mail e por telefone, e os gestores podem ligar a qualquer hora. Quando há tempo e dinheiro, são feitas novas visitas de campo, especialmente se a equipe percebe dificuldades.

O monitoramento ajuda a corrigir os desvios de caminho. A **Brazil**Foundation procura saber se as ações estão sendo desenvolvidas, por que o relatório está demorando, quais são os problemas, se o orçamento é compatível com o que foi proposto. "O planejamento tem auxiliado os gestores a identificarem quais são os possíveis obstáculos que podem dificultar a implantação do projeto, a definirem melhor os seus objetivos, a formularem as suas estratégias, a estabelecerem um cronograma de trabalho e a adequarem os seus orçamentos aos recursos por receber", diz Márcia. Esse contato direto, observa ela, permite que a fundação produza "grande impacto com uma quantidade limitada de recursos".

BrazilFoundation has another distinguishing characteristic: monitoring. Permanent technical assistance and periodic progress reports ensure that NGOs' proposed objectives are met. Contact is kept by email and telephone at all times. When there is time and money, the **Brazil**Foundation team makes new site visits, especially when they sense there might be difficulties.

Monitoring helps organizations overcome obstacles. It also helps keep **Brazil**Foundation apprised of activities in development, delays in reports and the reasons for those delays, problems that arise, and budget compatibility with what has been proposed.

"Monitoring has helped managers to identify obstacles that might challenge project implementation, to better define their objectives, to formulate strategies, to establish a working timeline and to make their budgets fit their grants," says Márcia. She observes that this direct contact permits **Brazil**Foundation to make "great impact with limited resources."

"Many institutions give money and then say goodbye, happy trails. Monitoring does just the opposite; it makes people feel supported as they work on their projects. They feel accompanied. They have us to talk to. And we demand a lot from them," says Susane.

*Mais do que ser aprovado,
o projeto é acolhido.
A **Brazil**Foundation se faz
coempreendedora daquela ideia.*

*Rather than being approved,
a project is accepted.
BrazilFoundation becomes
a co-entrepreneur in the venture.*

– Muitas instituições dão o dinheiro e até logo, boa viagem. Nosso monitoramento, ao contrário, faz com que as pessoas que estão trabalhando no projeto se sintam amparadas. É um acompanhamento. Elas têm com quem falar. E a gente cobra muito – diz Susane.

Mas Anette Kaminski, facilitadora de gestão nas capacitações e consultora da fundação em planejamento e análise de projetos, ressalva:

– Não é uma postura de fiscalização, de policiamento. É uma atitude acolhedora, de fazer junto.

"Mais do que ser aprovado, o projeto é acolhido. A BrazilFoundation se faz coempreendedora daquela ideia", concordam Caio Silveira e Ricardo Mello. A palavra que sintetiza melhor a relação entre ONGs e a fundação é: parceria. E uma parceria que vai além de uma simples união de interesses, permitindo o crescimento conjunto.

Anette Kaminski, facilitator and management consultant in project planning and analysis, adds this:

"We do not see a posture of fiscalization or policing in BrazilFoundation. It is an embracing attitude that suggests they are doing this together with their grantees."

"Rather than being approved, a project is accepted. BrazilFoundation becomes a co-entrepreneur in the venture," add Caio Silveira and Ricardo Mello. "The word that sums up the relationship between NGO and BrazilFoundation is partnership. It is a partnership that goes beyond the simple union of interests; it is about mutual growth."

Proximidade

Proximity

Essa relação muito próxima da BrazilFoundation com as ONGs é fácil de entender. O que a fundação mais quer é que os projetos deem certo, já que o sucesso das organizações é o seu sucesso. Edisvânio Nascimento, da Rádio Comunitária Santa Luz FM, de Santa Luz, interior da Bahia, que teve o projeto "Partilhando comunicação com a comunidade" selecionado em 2007, fala de como esse amparo teve papel determinante na trajetória da emissora.

– A preocupação da BrazilFoundation não está apenas em apoiar financeiramente, mas sobretudo tecnicamente, permitindo que a instituição comece a alçar novos voos e busque ferramentas de sustentação. Conseguimos ampliar o nosso elo de parcerias e fortalecer as que já existiam, e aprendemos a trabalhar de forma mais planejada, a traçar objetivos e metas, a elaborar a nossa metodologia, a sistematizar nossas ações e a organizar nossa memória.

A lavradora Eurly Maria de Souza Pinto, presidente da Associação de Desenvolvimento Agrícola e Comunitário (ADAC), também da Bahia, já teve dois projetos aprovados e é mais uma a dizer que o suporte financeiro não é o ponto principal. Ela prefere destacar o diálogo permanente:

This close-knit relationship with the NGOs is easy to understand. What BrazilFoundation wants most is success for their projects. After all, NGOs' successes are its successes too. Edisvânio Nascimento, of Rádio Comunitária Santa Luz FM, Santa Luz, interior of Bahia, was selected for a BrazilFoundation grant in 2007 with a project called "Partilhando Comunicação com a Comunidade," sharing communication with the community. To describe how BrazilFoundation support had a determining role in the trajectory of the radio station, Edisvânio says:

BrazilFoundation is not only concerned with giving financial support, but also in providing technical support to allow the institution to seek new horizons and to discover the tools it needs to sustain them. We were able to expand our sphere of working partnerships and strengthen those that already existed, and we learned to work with more forethought and planning, to reach our goals and objectives, to define our methodology, systematize our actions and organize our legacy.

Eurly Maria de Souza Pinto, a rural laborer and president of the Associação de Desenvolvimento Agrícola e Comunitário (ADAC - Association for Agricultural and Communitarian Development), is also from Bahia. She has received two BrazilFoundation grants, and is another person who will tell you that financial aid is not the only issue. She prefers to highlight the more lasting exchange:

" *Só se via gente cortando cana ou indo para São Paulo trabalhar como doméstica. As pessoas estavam desorientadas, porque foi tirada delas uma forma de vida e nada foi oferecido em troca.*"

" *Everyone was going to cut sugar cane, or to São Paulo, or to work as domestics. People were disoriented because their way of life was taken from them with nothing offered in exchange.*"

O fortalecimento da feira livre dos agricultores familiares de Veredinha possibilitou o surgimento e a consolidação de feiras de produtores da região, criando um canal de comercialização para as mercadorias, melhorando a qualidade de vida, reforçando os laços com a terra e freando o processo de êxodo rural.

"Fortalecimento da feira livre dos agricultores familiares de Veredinha", consolidating the region's farmers markets and creating a commercial channel for local products in Veredinha, improving the small family farmer's quality of life, reinforcing their ties to the earth and slowing the rural exodus."

– A maior ajuda foi o monitoramento constante, que nos orientava via e-mail e telefone, e que nos ajudou a gerenciar melhor nosso projeto e outras ações de nossa organização.

Esse apoio técnico estimula a sustentabilidade das ONGs e traz um impacto a médio e longo prazo, como relata Boaventura Soares Castro, do Centro de Agricultura Alternativa Vicente Nica (CAV), de Minas Gerais:

– A BrazilFoundation visa a muito mais do que apoiar uma ideia de maneira pontual, ela visa a promover um fortalecimento institucional da organização.

O CAV foi criado em 1994. Pouco antes, o agronegócio havia chegado com força à região do Vale do Jequitinhonha, prejudicando os pequenos agricultores de Turmalina. Como consequência, famílias eram forçadas a largar suas roças e se mudar para os grandes centros.

– Só se via gente cortando cana ou indo para São Paulo, trabalhar como doméstica – lembra Boaventura. – As pessoas estavam desorientadas, porque foi tirada delas uma forma de vida e nada foi oferecido em troca. A rapadura que eu fazia foi substituída pelo açúcar branco. As roças de milho e o mandiocal que preparávamos para engordar os porcos e produzir a carne e a banha foram trocados pelo óleo de soja.

O abandono da agricultura familiar preocupou os dirigentes do sindicato dos trabalhadores rurais, como Boaventura, que reagiram fazendo o CAV. O apoio da BrazilFoundation, que selecionou em 2007 o projeto "Feira livre dos agricultores familiares" e em 2010 o "Fortalecimento da feira livre dos agricultores familiares de Veredinha", possibilitou o surgimento e a consolidação de feiras de produtores da região, criando um canal de comercialização para as mercadorias, melhorando a qualidade de vida, reforçando os laços com a terra e freando o processo de êxodo rural.

"The greatest support was the continuous monitoring, the guidance by email and phone which helped us to better manage our project and other activities of our organization."

Technical support stimulates NGO sustainability and brings medium and long-term benefits, says Boaventura Soares Castro of the Centro de Agricultura Alternativa Vicente Nica (CAV-Vicente Nica Center for Alternative Agriculture), Minas Gerais:

"BrazilFoundation aims to do much more than support an idea in the short term. It seeks to strengthen the institutional core of our organization."

CAV was inaugurated in 1994. Shortly before its creation, agribusiness had aggressively arrived in the region of the Vale do Jequitinhonha, adversely affecting the small producers from Turmalina. In consequence, families had to leave their farms and move to big cities.

"Everyone was leaving to cut sugar cane in the plantations or they went to São Paulo, or elsewhere, to work as domestics and manual laborers," remembers Boaventura. "People were disoriented because their way of life was taken from them with nothing offered in exchange. The raw cane sugar – rapadura - I had been producing was replaced by white sugar. The corn and manioc root production used to fatten pigs for meat and lard was replaced by soy oil production."

This family farm exodus worried rural labor union leaders like Boaventura, and he responded with CAV. BrazilFoundation selected the project "Feira Livre dos Agricultores Familiares," in 2007, which offers opportunities for marketing family farmer production locally. And in 2010, they supported "Fortalecimento da Feira Livre dos Agricultores Familiares de Veredinha," consolidating the region's farmers markets and creating a commercial channel for local products in Veredinha, which served to improve the small family farmer's quality of life, reinforce their ties to the earth and slow the rural exodus.

9

A festa em Nova York que faz a festa no Brasil

The party in New York that makes for a party in Brazil

Como se viu, a **Brazil**Foundation luta para encurtar a desigualdade social atuando em duas frentes. Ao mesmo tempo em que no Brasil identifica projetos, faz monitoramentos e dá capacitações, função capitaneada nos dez primeiros anos por Susane Worcman, na outra ponta levanta recursos e mobiliza brasileiros residentes nos Estados Unidos, tarefa que era comandada por Leona Forman.

Em setembro de 2010, jornais e revistas dos dois países abriram espaço em suas colunas sociais para mais uma edição do Gala anual da **Brazil**Foundation, principal fonte de arrecadação de fundos para manter os projetos selecionados pela instituição. Como de hábito, modelos, artistas e empresários, entre cerca de 500 convidados, prestigiaram o evento, ocorrido no dia 23 daquele mês na ala dedicada à arte egípcia do Metropolitan Museum of Art, em Nova York. A modelo Fernanda Motta e o artista plástico Vik Muniz foram os mestres de cerimônia da noite, que teve apresentação do pianista João Carlos Martins e do tenor Jean Williams e contou com a participação de nomes como Gisele Bündchen e Oskar Metsavaht. Como é tradicional, foram homenageados brasileiros de destaque: Angela Gutierrez, presidente do Instituto Cultural Flavio Gutierrez, Eduardo Eugenio Gouvêa Vieira, presidente da Federação das Indústrias do Estado do Rio de Janeiro (Firjan), e Jair Ribeiro, fundador e coordenador geral da ONG Parceiros da Educação.

As you've seen, **Brazil**Foundation works on two fronts to address social inequality. During the first decade of activities, while Susane and her staff in Rio de Janeiro identified, selected and monitored social initiatives for grant making throughout Brazil, Leona, in New York, focused on raising funds and mobilizing Brazilian residents in the United States.

In September 2010, newspapers and magazines in both countries made space in their social columns for another edition of the annual **Brazil**Foundation Gala. The New York Gala was the primary fundraising event used to raise funds to support selected social initiatives in Brazil. Around 500 guests, among them models, artists and entrepreneurs, honored **Brazil**Foundation with their presence on the 23rd of that month in the Egyptian Wing of the Metropolitan Museum of Art, in New York. The model Fernanda Motta and the artist Vik Muniz were masters of ceremonies that night. Pianist João Carlos Martins was the musical guest, accompanied by tenor Jean Williams. Luminary guests Gisele Bündchen and Oskar Metsavaht participated in the presentations. Following tradition, **Brazil**Foundation conferred distinction on several notable Brazilians: Angela Gutierrez, president of the Instituto Cultural Flavio Gutierrez, Eduardo Eugenio Gouvêa Vieira, president of Federação das Indústrias do Rio de Janeiro -FIRJAN, and Jair Ribeiro, founder and general coordinator of the NGO Parceiros da Educação.

Cada um dos presentes tinha pago em média 1.500 dólares por um lugar. Em sua oitava edição, a comemoração de 2010 foi comandada pelo publicitário Nizan Guanaes, do Grupo de Comunicação ABC. Por sugestão de Nizan, o tema do Gala foi "O novo Brasil", destacando o crescimento econômico e o reconhecimento do país como uma das novas potências mundiais. Título semelhante poderia ter sido dado àquela festa beneficente no Metropolitan: "O novo Gala", já que ele significou um marco na história do evento e da própria fundação. No ano anterior, Nizan havia ido ao jantar e comentou:

– Está legal, mas poderia ser melhor.

Ele foi então convidado para estar à frente do Gala seguinte, mas pediu carta branca ao conselho diretor. Até aquela ocasião, o dinheiro vinha só da venda das mesas. O publicitário explicou que a fundação precisava arrecadar patrocínio:

– O custo do evento tem que ser financiado por ele. Mesa é mesa. A pessoa está comprando o ingresso para estar lá. Patrocínio é a empresa pagar para ter sua marca associada ao evento.

E foi o que ele fez, conseguindo patrocinadores em São Paulo. Não parou por aí. Antes de começar o Gala, avisou às organizadoras que subiria ao palco para pedir doações. Cumpriu o prometido. Ao microfone, disse:

– Hoje eu quero dar início a um Fundo Patrimonial para a BrazilFoundation de 1 milhão de dólares e eu vou começar isso. Aqui está meu cheque de 100 mil dólares.

Seu sócio fez o mesmo. Em seguida, Nizan passou a convocar os presentes a contribuírem com mais dinheiro. Eles recebiam um foco de luz no rosto e ouviam a pergunta:

– E você, vai dar quanto?

Guests had paid an average of $1,500 per seat to be present that night. The publicity man, Nizan Guanaes, of Grupo de Comunicação - ABC, organized the festivities. He suggested the eighth BrazilFoundation Gala theme should be "The New Brazil," highlighting Brazil's growing economy and its designation as a new world power. A similar name might have been proposed for the benefit itself - "The New Gala" - since it represented a turning point in BrazilFoundation's history. The previous year, Nizan had been a guest at the Gala and had commented:

"It is fine. But it could be better."

He asked the advisory council for carte blanche to chair the Gala the following year. Until then, Gala fundraising functioned on selling tables to the event. The PR magnate explained that BrazilFoundation needed sponsorship:

"The cost of the event needs to be financed by patrons. A table is a table. The individual is buying a ticket just to be there. Sponsorship is a business investment to have its brand associated with the event."

And that is how he approached it. He found sponsors in São Paulo. And he didn't stop there. As the Gala was beginning, he announced to the BrazilFoundation organizing committee that he would go on stage to ask for donations. He did as promised. Taking the mike, he said:

"Today I want to start a million-dollar BrazilFoundation Endowment Fund, and I will be the first to participate. Here is my check for one hundred thousand dollars."

His partner did the same. Next, Nizan called on guests to contribute more money. He put them in the spotlight and asked:

"And you? What will you give?"

O publicitário também incitava os convidados a comprarem peças cedidas por celebridades, como o vestido usado por Gisele Bündchen, desenhado por Francisco Costa, estilista brasileiro da Calvin Klein. Ao fim do evento, haviam sido arrecadados 2 milhões de dólares – até então, a média girava em torno de 375 mil dólares.

A ideia de uma festa beneficente havia partido da psicanalista Malu Millerman, que mora e trabalha em Nova York. Em janeiro de 2003, ela se virou para Leona e disse:

– Todas as fundações aqui nos Estados Unidos arrecadam dinheiro fazendo um jantar de gala. Tem Gala hispânico, Gala de tudo que é país. Por que não um brasileiro?

Até então, o que ajudava a manter a instituição eram alguns eventos esporádicos em Nova York, promovidos por voluntários, como a arquiteta Patricia Lobaccaro, que posteriormente teria um papel decisivo na BrazilFoundation. Até que veio a sugestão de Malu, que transformaria as finanças da fundação para sempre.

O primeiro Gala, em 2003, teve a própria Malu como presidente de honra, e a atriz Amy Irving como mestre de cerimônias. A organização ficou a cargo de um grupo de voluntários coordenado por Patricia. O comitê organizador estabeleceu uma meta: vender 30 mesas e arrecadar pelo menos 200 mil dólares. Mas, três semanas antes do evento, apenas 17 haviam sido vendidas. Patricia pediu então ajuda a um amigo, Marcus Vinicius Ribeiro, que sugeriu um coquetel de lançamento. Como ele conhecia algumas modelos brasileiras, levou quatro top models, além do fotógrafo mineiro Luiz Ribeiro, que trabalhava no "New York Post". Luiz tirou uma foto das quatro no coquetel, que foi parar no jornal, com o título: "Vai ter Gala brasileiro." No dia seguinte, o telefone de Patricia não parava de tocar.

The PR wizard then urged guests to bid on items donated by celebrities, such as the dress Gisele Bündchen had on that night – by Calvin Klein's Brazilian designer Francisco Costa. At the end of the evening, BrazilFoundation had raised two million dollars. Over the course of the previous eight years of Gala benefits, the average amount raised in an evening was $375,000.

Malu Millerman, a psychoanalyst who lives and works in New York, had initially thought up the benefit party. In January 2003, she had said to Leona:

"All the foundations in the United States hold a gala dinner. There is a Hispanic Gala, a Gala for every other country. Why not a Brazilian Gala?"

Until then, BrazilFoundation had raised its operating budget through sporadic volunteer-sponsored events in New York. One such event was given by architect Patricia Lobaccaro, who would later have a much more decisive institutional role.

At the first Gala, in 2003, Malu herself was the honored chair and actress Amy Irving was the master of ceremonies. Patricia coordinated a group of volunteers into being the organizing committee. Their goal was to sell thirty tables and raise at minimum of $200,000. But three weeks before the event, only seventeen tables had sold. Patricia asked her friend Marcus Vinícius Ribeiro for help. Marcus suggested giving a preview cocktail party. He invited four top Brazilian models and Luiz Ribeiro, a New York Post photographer from Minas Gerais. Luiz photographed the models at the party and published the image with the caption: "There's going to be a Brazilian Gala!" Patricia's phone didn't stop ringing the next day.

É uma única noite, mas aquelas poucas horas garantem 365 dias de projetos. Os convidados sabem que estão colaborando para um Brasil melhor, mas é provável que nem todos tenham uma noção muito clara do impacto de sua presença no jantar.

Ao mesmo tempo em que brindam, dançam, posam para fotos e festejam, permitem que centenas de brasileiros estudem, construam casas, vendam seus produtos e melhorem de vida.

The guests knew they are contributing to a better Brazil, but it is unlikely that they had a very clear sense of the impact of their presence at dinner. While toasting, dancing, posing for photos and celebrating, they were providing opportunities for hundreds of Brazilians to study, build houses, sell their products and improve their lives.

"

Dificilmente alguém presente àquela cerimônia de 2010 no Metropolitan saberia localizar no mapa Afogados de Ingazeira. Da mesma forma, boa parte dos moradores desse povoado de Pernambuco nunca ouviu falar de Nova York. Mas o contraste que há entre o glamour do Gala e a aridez do sertão se reduz quando se descobre que é daquela festa que saíram os dólares que permitiram a 450 mulheres do vilarejo pernambucano venderem em 2011 seu artesanato e aumentarem sua renda familiar.

It is rather unlikely that anyone at the 2010 Gala could locate Afogados de Ingazeira on the map. And similarly, most residents in that particular village in Pernambuco had never heard of New York. And the contrast of the glamour of the Gala and the aridness of the Sertão only becomes less glaring when we consider that the event raised funds so that 450 women in a small town in Pernambuco could sell their crafts and augment their family income.

– Levamos quase um ano para vender 17 mesas, enquanto as restantes saíram em apenas duas semanas, após a publicação da notinha – diz ela, que conseguiu ainda a assessoria de imprensa da Máquina de Notícia e a doação de um quadro de Romero Britto, que foi leiloado na festa, após ilustrar o convite e os cartazes de divulgação.

Os 350 convidados que se reuniram no Gala inaugural do dia 24 de setembro de 2003 no University Club, na Quinta Avenida, em Manhattan, assistiram a uma homenagem à Fundação Ford, ao Instituto Ayrton Senna e à Fundação Abrinq e viram um recital do pianista americano Cliff Korman e do saxofonista e clarinetista brasileiro Paulo Moura, com direito a canja de Gilberto Gil.

Ao longo dos anos, o evento beneficente sempre contou com a colaboração de artistas, seja doando quadros para o leilão, como aconteceu com Beatriz Milhazes, seja se apresentando na festa, como no caso de Daniela Mercury e Preta Gil. A decoração de flores é doação de um brasileiro, dono de uma floricultura em Nova Iorque e apropriadamente apelidado de Zezé das Flores.

"Though it had taken us nearly a year to sell seventeen tables. After that note was published, we sold the remainder in under two weeks," said Patricia, who also managed to sign Máquina de Notícia, a publicist agency, and secure a donation by Romero Britto – a painting they used for Gala invitations and posters, and which later was auctioned.

The 350 guests in attendance at the inaugural Gala, on September 24, 2003 at the University Club on 5th Avenue in Manhattan, were privy to an homage to the Ford Foundation, the Ayrton Senna Institute and the Abrinq Foundation. American jazz pianist Cliff Korman and Brazilian clarinetist and saxophonist Paulo Moura played, and Gilberto Gil joined them on stage.

Over the years, the Gala has counted on the generosity of artists such as Beatriz Milhazes to donate pieces for the auction, or Daniela Mercury and Preta Gil to perform. Flowers are also provided free of charge by a Brazilian flower shop owner in New York, known as Zezé das Flores. It is only one night, but those few hours guarantee 365 social project days.

VII Annual Gala Benefit THE NEW BRAZIL
September 23rd, 2010

THE NEW
BRAZIL

É uma única noite, mas aquelas poucas horas garantem 365 dias de projetos. Os convidados sabem que estão colaborando para um Brasil melhor, mas é provável que nem todos tenham uma noção muito clara do impacto de sua presença no jantar. Ao mesmo tempo em que brindam, dançam, posam para fotos e festejam, permitem que centenas de brasileiros estudem, construam casas, vendam seus produtos e melhorem de vida. Dificilmente alguém presente àquela cerimônia de 2010 no Metropolitan saberia localizar no mapa Afogados de Ingazeira. Da mesma forma, boa parte dos moradores desse povoado de Pernambuco nunca ouviu falar de Nova York. Mas o contraste que há entre o glamour do Gala e a aridez do sertão se reduz quando se descobre que é daquela festa que saíram os dólares que permitiram a 450 mulheres do vilarejo pernambucano venderem em 2011 seu artesanato e aumentarem sua renda familiar. (6)

Dólares que, ao longo dos anos, também transformaram a vida de gente como Tiago, Wagner Gadelha, Marivani e os gêmeos Walter e Wagner, ex-alunos da ONG Espaço Cultural da Grota, na comunidade Grota do Surucucu, em Niterói, que já foi apoiada pela BrazilFoundation. Todos vieram da favela, passaram pela orquestra da instituição e hoje vivem da música. Tiago não conheceu o pai. Sua mãe, uma empregada doméstica analfabeta, queria que ele tivesse uma profissão, mas não via na música uma opção. O rapaz, casado com a violinista e pedagoga alemã Karolin, é professor de violino e viola do Grupo AfroReggae. Os dois sonham em criar sua própria ONG, Sons do Futuro, para também dar formação clássica a jovens carentes. Gadelha era trocador de ônibus e,

Gala guests know they are contributing to a better Brazil, but it is unlikely that they have a very clear sense of the impact of their presence at these dinners. While toasting, dancing, posing for photos and celebrating, they are providing opportunities for hundreds of Brazilians to study, build houses, sell their products and improve their lives. It is rather unlikely that anyone at the 2010 Gala, for example, could locate Afogados de Ingazeira on the map. And similarly, most residents in that particular village in Pernambuco had never heard of New York. But the contrast between the glamour of the Gala and the aridness of the Sertão is only reduced when we consider that the event raised the funds that helped 450 women in a small town in Pernambuco to sell their crafts and augment their family income. (6)

Over time, BrazilFoundation funding has transformed the lives of people like Tiago Cosme, Wagner Gadelha, Marivani Cordeiro, and twins Walter and Wagner Caldas. They are graduates of the granteeEspaço Cultural da Grota, an NGO in the community of Grota do Surucucu, Niterói. They all come from the favela. They studied in the Grota Orquestra and now make their living through music. Tiago does not know his father. His mother, a domestic worker, doesn't know how to read but hoped Tiago would have a profession. She never saw music as an option. The boy married a violinist, Karolin. She is German and an educator: a violin and viola instructor with the group AfroReggae. The two of them dream of creating their own NGO, Sons do Futuro, to provide classical music training to impoverished youth, in the future. Wagner Gadelha is a busfare collector. At thirty-one, he is now graduating from Universidade Federal do Rio de Janeiro - UFRJ. He directs orchestras in

aos 31 anos, está se formando na UFRJ e rege as orquestras da Grota e do Alemão. Marivani era babá de um menino que estudava violino. Encantada com o som do instrumento, resolveu estudar música, fez o curso técnico, passou para Pedagogia na UFF e agora é pedagoga de uma creche, dá aulas numa escola e toca violino na igreja. Os gêmeos Walter e Wagner começaram aos 11 anos no Espaço Cultural da Grota e hoje, aos 28, estão na Universidade de Iowa, nos Estados Unidos, onde fazem sucesso como os Brazilian 2wins.

Em cada canto do país é possível achar alguém que tenha sido beneficiado com os recursos da fundação. Como a adolescente M.L.P., de 17 anos. Graças à Associação Barraca da Amizade, de Fortaleza, no Ceará, que atende crianças e adolescentes moradoras de rua e vítimas da exploração sexual, ela deixou a prostituição, voltou a morar com a mãe, ajuda nos gastos de casa com uma bolsa recebida pela instituição e frequenta a escola.

Outra fonte de receitas, que surgiu já no primeiro ano, é o Programa de Doação Recomendada, em que a fundação direciona recursos para ONGs indicadas pelos doadores. Pelas leis americanas, você não pode doar diretamente e ter isenção de imposto, a não ser que esteja dando por meio de uma organização estabelecida nos Estados Unidos, como é o caso da **Brazil**Foundation. Dessa forma, ela funciona como um intermediário respeitado, conhecido e confiável entre o doador e a ONG. Investiga se a organização é sem fins lucrativos, se atua no terceiro setor, se não tem ligação com partidos políticos, se é fidedigna, se está com a documentação correta e se atende às diretrizes do programa da fundação.

the communities of Grota and Alemão. Marivani was the nursemaid to a boy who studied violin. She was entralled by the instrument's sound and decided to study music. She finished technical high school and was admitted to the Pedagogy Program at the Universidade Federal Fluminense - UFF. She now is an instructor at an orphanage. She also teaches classes at a school and plays the violin at church. The twins Walter and Wagner began studying at the Espaço Cultural da Grota when they were eleven. Today, at twenty-eight, they are enrolled at the University of Iowa, where they enjoy some success as the "Brazilian 2wins."

In every corner of the country one can find someone who has benefited from **Brazil**Foundation funding: seventeen-year-old MLP is another example. Thanks to Associação Barraca daAmizade, Fortaleza, Ceará – helping street kids and adolescents who are victims of sexual abuse – MLP left a life of prostitution to return home. She is now living with her mother. She helps with household expenses through a stipend the organization provides her and is back at school.

Donor Advised Grants are another **Brazil**Foundation program, started in the first year, whereby donors earmark funding for specific NGOs. By American law, one cannot give directly to an organization overseas and receive a tax break unless it is through a US-established umbrella organization. **Brazil**Foundation is just that. It has become a respected and trusted entity, bridging foreign-based donors with quality Brazilian NGOs. **Brazil**Foundation takes it upon itself to make certain that the grantee organization is non-profit, performing in the third sector with no political ties. It also verifies that the organization is accountable, has current documentation and adheres to **Brazil**Foundation's guidelines.

September 29, 2009

Um apoio diversificado

10

Diversified support

A tendência natural da **Brazil**Foundation de apostar em pequenas e médias organizações faz com que a simples seleção já represente um marco na trajetória dos grupos. Ela dá visibilidade, abre novas portas e, muitas vezes, funciona como um selo de qualidade que atrai outros financiamentos. Já aconteceu de um prefeito ignorar a existência daquele grupo e, na semana seguinte ao anúncio do apoio, perguntar ao gestor: "Vocês querem algo?"

Mas ser escolhido pela fundação traz ainda pelo menos quatro tipos diferentes de vantagem. Há casos em que a seleção permite a legitimação da ONG, que passa a ser mais valorizada pelo poder público ou por outros apoiadores. Há situações em que a principal conquista é a expansão dos projetos, que podem ampliar o alcance de suas atividades. Há ocasiões em que o apoio possibilita a inovação, ou seja, o uso de novas tecnologias e conhecimentos técnicos. E há circunstâncias em que ele faz até com que o projeto influencie políticas públicas, justamente um dos objetivos perseguidos a longo prazo.

BrazilFoundation's natural tendency to bet on small- and medium-sized organizations means that even the selection process which provides visibility, opens doors, and endorses the organization for other sources of funding, is already a boon to the trajectory of these NGOs. It has happened that a mayor has shut his door to a group, only to do an about face when that group is selected for review by the BrazilFoundation. He'll then open his doors wide and say, "Is there something we can do for you?"

Furthermore, there are at least four more ways selection by BrazilFoundation carries advantages. It can bring legitimacy to an NGO that will have greater value in the eyes of the government and other donor institutions. It can extend the reach of the NGO's activities by helping to expand their projects. It can inspire innovation and the use of new technologies and can augment technical knowledge. And there are circumstance where funding can even enhance the NGO's influence over public policy. This last point – extending NGO influence in public policy-making – is one of BrazilFoundation's long-term objectives.

Legitimação

Um dos melhores exemplos de legitimação que a parceria com a BrazilFoundation trouxe é o da Rádio Comunitária Santa Luz, da Bahia. A emissora surgiu em 1998, com o objetivo de combater o trabalho infantil, enfrentar o coronelismo e fazer um contraponto às estações comerciais, divulgando os movimentos sociais, propagando a cultura local, ajudando a população a fiscalizar o uso dos recursos públicos e garantindo a informação sobre os direitos e deveres do cidadão. Edisvânio Nascimento fez teste e entrou para a rádio. Aquele rapaz com grave deficiência visual, nascido de família pobre no meio rural, vivia revoltado com o emprego de mão de obra infantil na região sisaleira da Bahia. Não raro uma criança ficava mutilada ao se machucar no motor da máquina durante o desfibramento do sisal ou nas pedreiras, com o uso de marretas e ponteiros pontiagudos na confecção de paralelepípedos. Feriam-se ainda em quedas de rochas ou em explosões utilizadas para detonar os morros.

Era improvável que a emissora desse certo, mas Edisvânio e seus colegas insistiram. Foram nove anos de insistência. Por diversas vezes viram seus pedidos de licença negados pela Agência Nacional de Telecomunicações (Anatel), tiveram suas atividades proibidas pela Justiça, responderam a processos na Polícia Federal. Quando enviaram o primeiro projeto para a BrazilFoundation, de capacitação de jovens para trabalhar como repórteres comunitários, estavam com os transmissores da rádio lacrados. Menos de um ano depois de obter esse apoio, conseguiram a autorização de funcionamento.

– A BrazilFoundation é uma marca valiosa, que teve impacto decisivo para nós. Enquanto o governo nos reprimia, uma organização muito séria como ela depositava credibilidade em nosso trabalho. Isso nos fez entender que podíamos ir além – diz Edisvânio, diretor executivo da rádio.

Legitimation

Rádio comunitária, a community radio station in Santa Luz, Bahia, is a strong example of how a partnership with BrazilFoundation can provide legitimacy to an NGO. The radio station began in 1988 with the objective of fighting child labor and arbitrariness of landowners and as a counterpoint to the commercial stations in the region. Their mission was to uphold social movements, spread local culture, help the population oversee the use of public resources, and ensure the dissemination of information on the rights and duties of citizens. Edisvânio Nascimento took a test and got a job at the radio. A boy with a severe visual impairment, born to a poor family in the countryside, Edisvânio was revolted by the child labor practices in the sisal region of Bahia, where it wasn't unusual for a child to become permanently handicapped by an injury on a machine engine during the sisal shredding, or while using mallets and pointed picks to make cobblestones in quarries. It was also common for children to be wounded in rock avalanches or in the explosions used to detonate the hills.

Under the circumstances, it was unlikely the station would succeed, but Edisvânio and his colleagues plodded ahead. They suffered nine years of persecution. Time and time again, their requests for licensing were denied by the Agência Nacional de Telecomunicações (ANATEL - the National Telecommunications Agency). They were shut down by court order. They were called to appear before the federal police. When they submitted their first project to BrazilFoundation, with a proposal to train youth to work as community reporters, their radio transmitters were blocked. But less than a year after receiving a BrazilFoundation grant, they were given authorization to go on the air.

"BrazilFoundation is a valuable brand. It has had decisive impact for us. Even while the government repressed our activities, a serious organization gave credibility to our work. This made us see that we could do more," said Edisvânio, now executive director of the radio station.

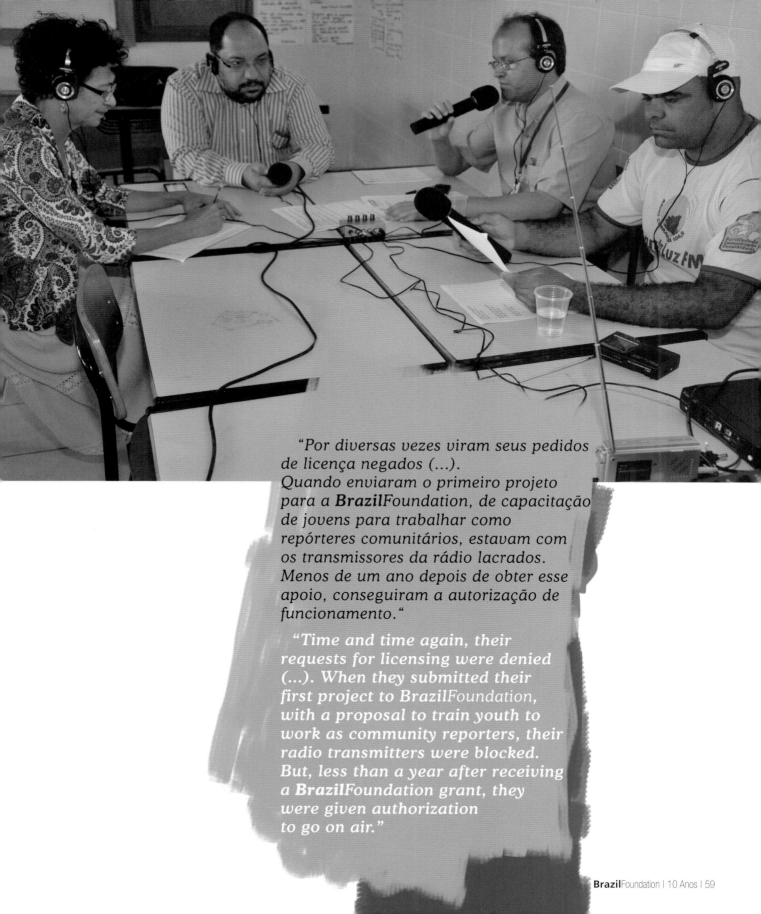

"Por diversas vezes viram seus pedidos de licença negados (...).
Quando enviaram o primeiro projeto para a **Brazil**Foundation, de capacitação de jovens para trabalhar como repórteres comunitários, estavam com os transmissores da rádio lacrados. Menos de um ano depois de obter esse apoio, conseguiram a autorização de funcionamento."

"Time and time again, their requests for licensing were denied (...). When they submitted their first project to BrazilFoundation, with a proposal to train youth to work as community reporters, their radio transmitters were blocked. But, less than a year after receiving a **Brazil**Foundation grant, they were given authorization to go on air."

– A **Brazil**Foundation foi a primeira instituição a acreditar em nosso trabalho. A partir daí, todo mundo passou a ver a Estação com outros olhos. Ganhamos o respeito e o reconhecimento dos governantes e das empresas de Arcoverde, que antes nos marginalizavam. E, quem não reconheceu, se calou. Foi neste momento que a Estação realmente começou, três anos depois de ter sido criada – lembra Raphaella Araújo, da associação, que se tornou o primeiro Ponto de Cultura do Ministério da Cultura (MINC).

BrazilFoundation was the first institution to believe in our work. From there, everyone came to see Estação in another light. Governing bodies and businesses in Arcoverde that previously had marginalized us, now looked upon us with respect. And those who didn't see the value in our work kept their peace. Three years after we began, that is the moment Estação really began to grow," remembers Raphaella Araújo, of the NGO that became the first Ponto de Cultura of the Ministry of Culture (MINC).

*– O simples fato de um representante da **Brazil**Foundation ter vindo até a comunidade Pataxó Hahahãe para conhecer melhor nossa proposta já nos chamou a atenção.*

*The simple act of a **Brazil**Foundation representative coming all the way to the Pataxó Hahahãe community, to get to know us and our proposed project, stood out.*

A fundação também conferiu legitimidade à Associação Estação da Cultura, que teve origem em uma estação ferroviária abandonada, invadida em 2001 por jovens artistas de Arcoverde, em Pernambuco, dispostos a promover a produção artística na região. A ocupação foi alvo de represálias da prefeitura, que em diferentes ocasiões tentou fechar a instituição. Até que, em 2004, a **Brazil**Foundation apoiou o projeto "A gente construindo", que formou jovens como agentes culturais, realizando oficinas de teatro e danças populares, e ajudou na edição de um jornal local e de programas de rádio comunitária.

– Ela foi a primeira instituição a acreditar em nosso trabalho. A partir daí, todo mundo passou a ver a Estação com outros olhos. Ganhamos o respeito e o reconhecimento dos governantes e das empresas de Arcoverde, que antes nos marginalizavam. E, quem não reconheceu, se calou. Foi neste momento que a Estação realmente começou, três anos depois de ter sido criada – lembra Raphaella Araújo, da associação, que se tornou o primeiro Ponto de Cultura do Ministério da Cultura (MinC). (7)

A Thydêwá, fundada em 2002, na Bahia, igualmente se tornou uma referência, traduzida em parcerias com ministérios, associações indígenas locais e organizações internacionais, sua transformação em Pontão da Cultura em 2010 e prêmios na área de direitos humanos, além do Prêmio de Cultura Digital, concedido pelo Ministério da Cultura, por "utilizar novas tecnologias de comunicação e informação na luta pelos direitos e pela preservação cultural indígena". A instituição foi apoiada pela fundação em 2004 com o projeto "Índio quer paz", que desenvolveu atividades nas escolas para promover o conhecimento e o respeito à população indígena na região, reduzindo o preconceito e a violência.

BrazilFoundation also conferred legitimacy on the Associação Estação da Cultura. This NGO got its start in 2001, in an abandoned train station in Arcoverde, Pernambuco, where young artists squatted to promote the arts in the region. The occupation was targeted by the Mayor's Office, which tried to shut it down numerous times until 2004, when **Brazil**Foundation selectedto support the project "A Gente Construindo." Since then, the organization has trained youngsters to act as cultural agents, to facilitate theater and popular dance workshops, to help edit a local newspaper, and to produce community radio programs.

"**Brazil**Foundation was the first institution to believe in our work. From there, everyone came to see Estação in another light. Governing bodies and businesses in Arcoverde that previously had marginalized us, now look upon us with respect. And those who didn't see the value in our work kept their peace. Three years after we began, is the moment Estação really began to grow," remembers Raphaella Araújo, of the NGO that became the first Ponto de Cultura of the Ministry of Culture (MINC). (7)

Thydêwá, founded in 2002, in Bahia, also became a MINC cultural point of reference. In partnership with ministries, local indigenous associations, and international organizations, it was made a Pontão da Cultura in 2010. It has received multiple prizes for its activities in human rights, and has won the MINC Prêmio de Cultura Digital for using "new communication and information technologies in the defense of indigenous rights and preservation of indigenous culture." Thydêwá became a **Brazil**Foundation grantee in 2004 with the project "Índio Quer Paz" – "The Indian Wants Peace" – proposed to reduce prejudice and violence by developing activities in schools to promote familiarity and respect for the indigenous population in the region. The organization's director, Sebastian Gerlic said:

– O simples fato de um representante da BrazilFoundation ter vindo até a comunidade Pataxó Hahahãe para conhecer melhor nossa proposta já nos chamou a atenção. Nossa ideia original estava centralizada demais no índio. Passamos a olhar mais a sociedade como um todo e a perceber que o trabalho devia ser feito com a população em geral – diz o coordenador da organização, Sebastian Gerlic.

A Thydêwá não é um caso isolado de preocupação da BrazilFoundation com as comunidades indígenas. Dar voz para que os índios contem sua cultura é um traço recorrente na trajetória da fundação.

Expansão

Mais que legitimação, o que a BrazilFoundation trouxe para a bailarina e coreógrafa Anália Timbó foi a sobrevivência de seu trabalho e a expansão de suas atividades. Tudo começou em 1979, na periferia de Fortaleza, no Ceará, no bairro de Vila Velha, com a criação de uma escola de dança clássica gratuita para crianças pobres. Na hora de batizar o grupo, ela de cara descartou chamá-lo de Companhia de Dança Anália Timbó.

– Todas se chamam Academia Fulano, Escola Beltrano, Companhia Sicrano. É muito estranho dançar com o nome da própria pessoa. Eu queria que as pessoas se sentissem donas do grupo também.

Anália misturou algumas palavras – dança, amor, vida, balé – e criou a Vidança.

– Era um nome que todo mundo ia querer abraçar. E, assim, ia querer tomar posse da companhia como sua.

– The simple act of a BrazilFoundation representative coming all the way to the Pataxó Hahahãe community to get to know us, and our proposed project, stood out. Our original idea was overly focused on the Indian. We began to look more at society as a whole and to perceive the potential for our work with the population at large.

Thydêwá is not an isolated case of BrazilFoundation's concern with indigenous communities. To give voice to organizations that strive for the survival of indigenous culture is a recurring theme in BrazilFoundation history.

Expansion

BrazilFoundation brought more than legitimacy to dancer-choreographer Anália Timbó. When the survival of her work was at risk, BrazilFoundation helped her expand her activities. Her work began in 1979, in the outskirts of Fortaleza, Ceará, in the neighborhood of Vila Velha, with the establishment of a free school for classical dance education for poor children. When she needed to baptize the school, she quickly discarded the idea of calling it the Anália Timbó Dance Company.

"They are all called So-and-so Academy, Jane Doe School, Joe Schmo Company. It's very strange to dance under the name of another person. I wanted people to feel their own agency in the group."

Anália used a mash-up of the Portuguese words for "dance," "love," "live," "ballet" — and created "Vidança."

- Todas se chamam Academia Fulano, Escola Beltrano, Companhia Sicrano. É muito estranho dançar com o nome da própria pessoa. Eu queria que as pessoas se sentissem donas do grupo também.

Anália misturou algumas palavras – dança, amor, vida, balé – e criou a Vidança.

- Era um nome que todo mundo ia querer abraçar. E, assim, ia querer tomar posse da companhia como sua.

They are all called So-and-so Academy, Jane Doe School, Joe Schmo Company. It's very strange to dance under the name of another person. I wanted people to feel their own agency in the group." Anália used a mash-up of the words for "dance", "love," "live," "ballet" (in Portuguese) - and created "Vidança".

Os primeiros anos foram penosos. A ponto de Anália cogitar fechar as portas da associação, que funcionava numa sala num centro comunitário. Quando o centro foi arrendado pela prefeitura, ela se viu sem espaço. Para arrumar outro local, teria que pagar aluguel, água, luz, gás. E não havia dinheiro. Só que não desistiu. Alugou uma casa no bairro e, para se manter, fazia bazares, solicitava roupas e doações a amigos e parentes, pedia aos pais dos alunos que ajudassem em atividades como limpeza e cozinha. Foi aí que veio o primeiro apoio da **Brazil**Foundation, em 2003, ao projeto "Vidança" – em 2005 viria outro, ao "Tambores do Vidança". Também obteve uma subvenção da Secretaria do Trabalho e Empreendedorismo do Estado do Ceará e conseguiu uma sede, que estava toda depredada e foi reformada.

– A **Brazil**Foundation confiou numa organização que era na beira do mangue e que atendia pessoas que estão abaixo da linha de pobreza, que dormem sem saber se amanhã terão o que comer. Ela nos ajudou a estruturar e organizar a nossa instituição e também a nossa esperança. Há uma humanização que não se vê comumente em financiadores.

Agora, além das aulas de balé para crianças, adolescentes, adultos e idosos, há uma biblioteca comunitária e cursos de corte e costura, percussão, carpintaria, hip hop, capoeira e artes manuais. Os resultados são animadores, como se vê pela história de duas meninas. Uma entrou em 2003, com 7 anos. Numa das reuniões com os pais de alunos, a irmã, de 23 anos, se juntou ao grupo. A mãe, uma costureira, contou que ela estava passando por um período difícil e que a todo o momento falava em se suicidar porque a vida não fazia mais sentido. Tudo mudou após conhecer a ONG, como lembra Anália:

"It was a name that every one would want to embrace. And, thus, they could feel ownership for the company as if it were their own."

The first years were painful – to the point that Anália, working out of a room in a community center, considered shutting it down. When that space was leased by the Mayor's Office, she was evicted. She'd have to rent another space and pay for water, light and gas. She was broke, yet she did not give up. She combed the streets, and asked friends and families to collect clothing and donations. She had stoop sales. She raised enough to rent a house in the neighborhood. And to maintain the place, she called on the community, the teachers, her students' parents to help with household tasks such as cleaning and cooking. Then, in 2003, she received her first **Brazil**Foundation grant for the project "Vidança." In 2005, she received another grant for an offshoot project, "Tambores do Vidança." She also obtained a subsidy from the Secretaria do Trabalho e Empreendedorismo do Estado do Ceará(Bureau of Labor and Entrepreneurship of the State of Ceará) which enabled her to find a better locale in a long-abandoned house that she repaired and also helped her to expand her activities. She says:

BrazilFoundation invested their faith in an initiative that was by the edge of a swamp attending to people below the poverty line – who go to sleep without knowing if there will be what to eat the next day – and their support helped us to structure and organize our institution and our expectations. There is a humanity here not commonly seen in grant-making institutions.

Now, in addition to ballet for children, adolescents, adults and seniors, there is a community library and workshops in sewing, drumming, carpentry, hip-hop, capoeira and handicrafts. The students' achievements are inspiring, and this is apparent in the many stories of familial bonding and dancing. In one example, a girl joined "Vidança" in 2003,

– Ela, que no início parecia alheia a tudo, indiferente à alegria e resistente aos sorrisos, acabou trabalhando com a gente nas atividades da instituição e nas artes manuais. Passou a montar cenários, a fazer a decoração do projeto Vidança, a atender às famílias e também a integrar o elenco de bailarinas.

Hoje toda a família está no Vidança, inclusive o filho mais velho. Eles dão cursos de Arte e Costura com retalhos e são costureiros do projeto. A caçula continua nas aulas de dança.

Os R$ 30 mil e o apoio técnico que recebeu igualmente serviram para que o maestro Márcio Selles ampliasse suas ações.

Em 1989, quando voltou de seu mestrado em Música nos Estados Unidos, conheceu o trabalho que sua mãe começara seis anos antes numa favela em Niterói, a Grota do Surucucu. Ela ensinava Matemática e Português, dava aulas de costura e mantinha uma horta. Pediu que o filho se envolvesse, mas Márcio recusou a ideia com o argumento de que era uma atividade assistencialista. Ouviu de sua mulher, Lenora:

– Pelo menos ela faz alguma coisa. Você não faz nada.

A repreensão fez com que se mexesse. Começou a dar aulas de flauta para quatro alunos. Com a morte da mãe, em 1998, continuou as aulas com apoio da mulher. Em 2002, criou o Espaço Cultural da Grota. O foco era a música, até que veio o financiamento da BrazilFoundation, em 2004.

– Com isso, retomamos esse elo partido que tanto interessava à minha mãe: a preocupação com a escolaridade. Criamos um pré-vestibular e temos 25 alunos formados em música em nível técnico trabalhando conosco e em outros projetos e escolas. Temos ainda oito alunos que já se formaram em Música, Pedagogia, Geografia e Educação Física. E outros dez cursando a universidade.

when she was seven years old. At one of the parents' meetings, her then-twenty-three-year-old sister also joined the group. Their mother, a seamstress, told Anália that her eldest daughter was going through a hard time, and was talking of suicide because life didn't make sense to her anymore. But everything changed when she joined the NGO. Anália recalls:

At the beginning she felt like an outsider. She was indifferent to joy and resistant to smiles, but she eventually participated in our activities and particularly in the arts. She began to create theatre sets, to decorate the Vidança project, and to attend to families in the community. And she joined the troupe of ballerinas.

Today the whole family participates in "Vidança," even the eldest son. They are the project's tailors. They give art and sewing classes with fabric remnants. And the youngest still takes dance classes.

Espaço Cultural da Grota, is another example. After receiving his masters in Music in the United States, in 1989, the maestro Márcio Selles returned to Niterói where he was introduced to the favela Grota do Surucucu by his mother. The retired teacher, Otávia Paes Selles,had been giving lessons there for six years, in math, Portuguese and sewing and she tended a small vegetable garden. She asked her son to get involved too, but Márcio argued that it was a welfare project. Then he heard his wife, Lenora Mendes, say:

"At least she does something. You don't do anything."

The rebuke worked. He started offering flute lessons to four students. When his mother died in 1998, Lenora encouraged him to continue giving lessons. In 2002, they created the Espaço Cultural da Grota. Their focus was mainly music until they received BrazilFoundation R$30,000,00 in 2004, allowing them to expand. Márcio says:

À frente do projeto, Márcio fundou uma orquestra que gravou três CDs, viajou para Estados Unidos, Portugal e América Central, ganhou oito prêmios e faz uma média de 30 concertos por ano. E 18 integrantes replicaram a experiência em outros dez lugares, para mais de 300 alunos.

At the beginning of the project, Márcio founded the Grota Orchestra. It has recorded three CDs, toured the United States, Portugal, and Central America, won eight awards and performs on average 30 concerts a year. Eighteen members of the orchestra moved on to replicate it in ten other locations for more than 300 students.

Com um trabalho de reforço nas disciplinas, formação cidadã e ações artísticas, o instituto teve o projeto "Carpe diem" apoiado em 2002 e se tornou referência em arte-educação, atendendo cerca de 600 crianças e adolescentes e multiplicando sua metodologia em outras escolas municipais, ONGs e centros de assistência social. O ICA virou Ponto de Cultura em 2009.

ICA provides afterschool activities to children of low-income families, including tutoring, participatory citizenship and arts. ICA's project "Carpe Diem" was funded in 2002, and became a MINC Ponto de Cultura in 2009 with funding to implement projects for art-education- nearly 600 children and adolescents in attendance - in the community and to replicate their methodology in municipal schools, NGOs, and social service centers.

À frente do projeto, Márcio fundou uma orquestra que gravou três CDs, viajou para Estados Unidos, Portugal e América Central, ganhou oito prêmios e faz uma média de 30 concertos por ano. E 18 integrantes replicaram a experiência em outros dez lugares, alcançando mais de 300 alunos. Em 2006, sete músicos da orquestra encantaram os convidados do Gala da **Brazil**Foundation em Nova York, que também assistiram a um show da cantora Margareth Menezes.

Outra organização, o Instituto de Incentivo à Criança e ao Adolescente (ICA) de Mogi Mirim, em São Paulo, define sua trajetória em ABF e DBF, antes e depois da **Brazil**Foundation. Fundado em 1997, ele promove atividades no contraturno escolar, ou seja, fora do horário das aulas, para crianças de famílias de baixa renda. Com um trabalho de reforço nas disciplinas, formação cidadã e ações artísticas, o instituto teve o projeto "Carpe diem" apoiado em 2002 e se tornou referência em arte-educação, atendendo cerca de 600 crianças e adolescentes e multiplicando sua metodologia em outras escolas municipais, ONGs e centros de assistência social. O ICA virou Ponto de Cultura em 2009. No livro "Educação 2010", da Humana Editorial, sua metodologia está listada como uma das principais do país de educação não formal.

With that, we invested in what concerned my mother most: schooling. We created a college prep program and twenty-five of our students have finished vocational high school in music, and now work with us and in other projects and schools. Eight more of our students have graduated in Music, Pedagogy, Geography and Physical Education. Ten others are currently in college.

At the beginning of the project, Márcio founded the Orquestra de Cordas da Grota – the Grota String Orchestra. They have recorded three CDs, traveled to the United States, Portugal, and Central America, won eight awards and performs roughly thirty concerts a year. Eighteen members of the orchestra have moved on to replicate it in ten other locations for over 300 students. In 2006, seven Grota musicians performed at the **Brazil**Foundation Gala in New York to great applause. Singer Margareth Menzes also performed.

Another organization, Mogi Mirim's Instituto de Incentivo à Criança e ao Adolescente (ICA), São Paulo, defines life as BBF and ABF – before and after **Brazil**Foundation. Founded in 1997, ICA provides afterschool activities to children of low-income families, including tutoring, participatory citizenship and arts. ICA's project "Carpe Diem" was funded in 2002, and became a MINC Ponto de Cultura in 2009 with funding to implement projects for art-education – attended by nearly 600 children and adolescents – in the community and to replicate their methodology in municipal schools, NGOs, and social service centers. They were listed as one of the primary non-formal education institutions in the country by Humana Editorialin"Educação 2010."

Inovação

Nem legitimação, nem expansão das atividades. A principal contribuição da **Brazil**Foundation para o Centro de Educação Popular e Formação Social (CEPFS) foi o estímulo aos avanços tecnológicos. No semiárido da Paraíba, um dos maiores problemas é a seca. Para enfrentar o ambiente hostil, o CEPFS promove atividades como microcrédito a pequenos agricultores e desenvolvimento e propagação de métodos para armazenamento e conservação de recursos hídricos, destinados ao consumo humano e à produção rural. Em 2006, a fundação apoiou o projeto "Convivência com a realidade semiárida". O CEPFS criou um sistema inovador de coleta e tratamento da água da chuva, possibilitando seu total aproveitamento. A construção de cisternas de placas e a capacitação para o seu gerenciamento permitiram melhorar a qualidade da água consumida na comunidade e evitar doenças.

Desde sua criação o programa já beneficiou mais de 64 mil pessoas. As técnicas implantadas estão melhorando a vida de gente como Valdirene Fernandes, da comunidade Pedra d'Água:

– Eu pego água para beber na cisterna de uma vizinha. Ela é muito solidária, mas a gente fica meio limitada. Se tiver vontade de pegar mais, não vou porque tenho vergonha. Com a chegada desta cisterna vou ter minha própria água. (8)

Outra moradora acorda e todo dia beija a cisterna, agradecida.

– Meus filhos deixaram de ficar doentes. E tenho mais tempo para passar com eles, já que não preciso mais buscar água.

Innovation

What is there beyond legitimation and expansion? Innovation. **Brazil**Foundation contributed to the technological advances of the Centro de Educação Popular e Formação Social (CEPFS), a center for popular education and social formation located in the semi-arid region of Paraíba, where one of the principal complaints is drought. CEPFS has developed activities to counter this hostile environment, such as micro-credit for small farmers and methods of development and dissemination of hydric storage and conservation resources for human consumption and rural production. In 2006, **Brazil**Foundation funded the project "Convivência com a Realidade Semiárida," wherein CEPFS created an innovative system for co-existing with the semi-arid reality through rainwater collection and treatment to take full advantage of available water sources. The construction of water cisterns and training for their maintenance ensures better quality water consumption in the community and prevents disease.

Since the start of the program, it has benefited sixty-four thousand people. The techniques implemented improve the quality of life for people like Valdirene Fernandes of the Pedra D'Água community:

"I get water to drink from my neighbor's water tank. She is very supportive, but what I am able to take is limited. If I want to get more, I don't because I am ashamed. With a new tank, I will have my own water." (8)

Another resident wakes up each morning and gratefully kisses her water tank. "My children don't get sick anymore. And I have more time to spend with

Com o CEPFS, as famílias recebem ajuda para a implantação de tecnologias de convivência com o semiárido e se comprometem a devolver o dinheiro, de acordo com suas possibilidades. Os recursos vão para o fundo rotativo solidário, que é formado ainda por contribuições externas. Os próprios moradores é que decidem o que fazer com as verbas, que podem servir para a construção de uma cisterna, o atendimento de saúde ou a feitura de um depósito de grãos, por exemplo.

them, since I don't need to fetch water anymore."

With a CEPFS loan to implement technologies, life in the semiarid climate becomes a more tolerable reality for families in the community and they are committed to returning the money when they can, according to their possibilities. The resources are gathered in a revolving solidarity fund, formed by outside contributions. The residents themselves decide what to do with the funds, which can be used to build a cistern, to help

> "- Elas veem que tudo na natureza tem utilidade. O cacto, por exemplo, capta água no período de chuva e armaneza no caule para a época de seca. Os moradores ficam sonhando com soluções grandiosas vindas de fora e às vezes a saída está bem ao nosso lado – diz José Dias."

> "They see that everything in nature has a utility. Cacti, for example, collect water during the rainy season and store it in the stem for the dry season. Residents dream of grandiose solutions arriving from outside but sometimes the answer is right here beside us," says José Dias."

O CEPFS faz com que as pessoas tenham um novo olhar para os recursos naturais.

– Elas veem que tudo na natureza tem utilidade. O cacto, por exemplo, capta água no período de chuva e armaneza no caule para a época de seca. Os moradores ficam sonhando com soluções grandiosas vindas de fora e às vezes a saída está bem ao nosso lado – diz José Dias, que fundou a ONG em 1985.

with health care, or to build a grain silo, for example.

CEPFS makes sure that people look upon their natural resources with new perspective:

"They see that everything in nature has a utility. Cacti, for example, collect water during the rainy season and store it in the stem for the dry season. Residents dream of grandiose solutions appearing from outside but sometimes the answer is right here beside us," says José Dias, who founded the NGO in 1985.

Ele enfrentou muitos obstáculos, como o descrédito das famílias em relação à tecnologia das cisternas, por causa de experiências negativas no passado, a influência de políticos tradicionais, interessados em desmobilizar os agricultores, e o isolamento das comunidades. O apoio da BrazilFoundation tornou-se decisivo:

– Foi um divisor de águas na trajetória do CEPFS. Antes era uma entidade buscando se qualificar e se firmar, depois se tornou uma entidade fortalecida – diz Dias.

A tal ponto que virou referência em tecnologias ambientais no Brasil e recebeu vários prêmios e reconhecimentos nacionais e internacionais, como o Von Martius de Sustentabilidade. Em 2008, um novo projeto foi apoiado, "Difusão de tecnologias de segurança hídrica no semiárido", que capacitou líderes comunitários, mulheres agricultoras, estudantes, professores e técnicos de outras organizações para ampliar, aplicar e difundir as tecnologias sociais desenvolvidas pela instituição em várias comunidades.

Influência em políticas públicas

Algumas ONGs se fortaleceram tanto após serem apoiadas pela BrazilFoundation que passaram a ter voz junto ao poder público. O Movimento das Mulheres do Nordeste Paraense (MMNEPA), criado em 1993 por trabalhadoras rurais e urbanas, quilombolas, ribeirinhas e extrativistas para combater a violência contra a mulher, conseguiu vaga no Conselho Estadual dos Direitos da Mulher, no Pará. Elas tiveram maior acesso às informações dos programas de saúde e passaram a exercer o controle social de políticas públicas. E o MMNEPA ganhou reconhecimento dos órgãos públicos como entidade referência para a capacitação técnica na área de segurança.

He faced many obstacles, like the families mistrust of cistern technology due to negative experiences in the past, the influence of old-fashioned politicians interested in demobilizing farmers, and the isolation of the communities. BrazilFoundation support was decisive:

"It was a watershed in CEPFS history. Before, we were an entity wanting to make grade and firm up, then we became a strong institution," says Dias.

They've become so strong, in fact, that CEPFS became a reference point in environmental technologies in Brazil and received multiple national and international prizes, like the Von Martius Sustainability Award. In 2008, a new project gained BrazilFoundation support, "Difusão de Tecnologias de Segurança Hídrica no Semiárido." It focused on the dissemination of water security technologies in the semiarid region, and trained community leaders, women farmers, students, professors, and technicians from other organizations to extend, apply and disseminate social technologies developed by the institution in various communities.

Influence on Public Policy

Some NGOs grow so strong when they receive BrazilFoundation support that they acquire a political voice.

Movimento das Mulheres do Nordeste Paraense (MMNEPA): The Northeastern Pará Women's Movement was created in 1993 by rural and urban women workers, quilombo residents, riparian area and extractive reserve populations to combat violence against women. They won a seat on the Conselho Estadual dos Direitos da Mulher de Pará (the Pará State Council for Women's Rights).

Depois de receber o apoio ao projeto "Reviver", em 2009, a Associação Barraca da Amizade (ABA), de Fortaleza, no Ceará, foi convidada, no ano seguinte, para a revisão do Plano Nacional de Enfrentamento à Exploração Sexual, em Brasília. A ABA surgiu em 1987 e atendia somente crianças e adolescentes moradores de rua. Eram jovens como Renan Souza, que ficou dos 16 aos 18 anos na instituição. Participou da oficina de circo da ABA, criou um palhaço e faz animação de festas nos fins de semana, além de trabalhar num supermercado.

– O circo me deu uma profissão. Já viajei para muitos lugares. Aprendi o quanto sou capaz de fazer. Antes, era metido com drogas, assaltava ônibus, não queria nada. Até que fui preso e me encaminharam para a associação – diz ele, de 20 anos. (9)

Nos anos 2000, garotas prostituídas passaram a aparecer no portão da entidade pedindo ajuda para sair da exploração sexual. Era hora de ampliar o foco de atuação e parar de se restringir aos moradores de rua.

– Mas nós não sabíamos como ajudar essas meninas – lembra Brigitte Louchez, diretora da ABA – Nos sentamos então com elas para conhecer suas necessidades e seus desejos, e os caminhos para apoiá-las. A partir daí surgiu o "Reviver". A seleção pela **Brazil**Foundation nos permitiu dar respostas concretas às meninas.

Desde então, mais de cem jovens deixaram a prostituição. No total, a Barraca já atendeu mais de mil crianças e adolescentes, retirando 155 das ruas, reinserindo 128 na escola pública e profissionalizando 246 delas.

Associação Barraca da Amizade (ABA): The year after receiving support for their project "Reviver" in 2009, the association was invited to oversee the revision of the Plano Nacional de Enfrentamento à Exploração Sexual, a national plan to counter sexual exploitation in Brazil. ABA was founded in 1987 to attend to the needs of street kids – youth like Renan Souza who lived in an institution from his sixteenth to eighteenth birthdays. He participated in an ABA workshop, created a clown character to animate children's parties on the weekends and also works in a supermarket. Now twenty years of age, he says: "The circus gave me a profession. I have travelled to many places. I learned just how much I am capable of doing. Before, I was into drugs, robbed people on buses and didn't want anything, until I was arrested and they sent me to the Association." (9)

Since 2000, young prostitutes have repeatedly appeared at the door of the organization asking for help to escape the profession. It was time to expand the focus of activities. "But we didn't know how to help these girls," says Brigitte Louchez, director of ABA, "so we sat down with them to learn their needs and their wishes, and how best to support them. From that "Reviver" evolved. Being selected for **Brazil**Foundation funding permitted us to give a concrete response to these girls."

Since then, ABA has helped more than a hundred youth to leave prostitution. In all, they've assisted more than a thousand children and adolescents, removing a hundred and fifty-five from the streets, putting one hundred twenty-eight back in public schools, and providing professional qualifications to two hundred forty-six.

Criado por trabalhadoras rurais e urbanas, quilombolas, ribeirinhas e extrativistas para combater a violência contra a mulher, o MMNEPA conseguiu vaga no Conselho Estadual dos Direitos da Mulher, no Pará e ganhou reconhecimento dos órgãos públicos como entidade referência para a capacitação técnica na área de segurança.

The Northeastern Pará Women's Movement was created in 1993 by rural and urban workers, quilombo residents, riparians and extravistas to combat violence against women. They won a seat on the Conselho Estadual dos Direitos da Mulher de Pará (Pará State Council for the Rights of Women).

...mais de cem jovens deixaram a prostituição. No total, a Barraca já atendeu mais de mil crianças e adolescentes, retirando 155 das ruas, reinserindo 128 na escola pública e profissionalizando 246 delas.

Ever since, ABA has helped more than a hundred youth to leave prostitution. In all, they've assisted more than a thousand children and adolescents, taking one hundred fifty-five off the streets, putting one hundred twenty-eight back in public schools, and professionalizing two hundred forty-six.

O apoio ao Coletivo Ação Juvenil de Tucano (COAJ) resultou até na aprovação de emendas parlamentares. Fundado em 2004 na região sisaleira do semiárido baiano com o objetivo de formar lideranças jovens para mobilização e atuação em políticas públicas nos municípios e no estado, o COAJ teve selecionado em 2009 o projeto "Participação juvenil no orçamento municipal".

Uma das integrantes, Mirian Jorge, classifica o papel da BrazilFoundation como "importantíssimo".

– A gente achava que a possibilidade de interferir (na política) cabia apenas aos gestores públicos, ou seja, ao prefeito, aos vereadores, aos deputados. A partir da formação que recebemos, percebemos que não. Ela nos deu a possibilidade real de interferir. Nossos gestores, principalmente os vereadores, levaram um choque quando chegamos com uma emenda. Estávamos sentados ali não para pedir ou sugerir. Viram que estávamos organizados e articulados, e que tínhamos o mesmo documento utilizado por eles, que foram obrigados a botá-lo em pauta. No município de Antônio Cardoso, por exemplo, tivemos emendas aprovadas por unanimidade, como a do cursinho pré-vestibular "Educar para mudar" e a que dá transporte para os estudantes secundaristas se deslocarem a outras cidades.

Coletivo Ação Juvenil de Tucano (COAJ): the Tucano district youth collective was selected for a BrazilFoundation grant in 2009 for their project "Participação Juvenil no Orçamento Municipal" - the support helps them to oversee the use of municipal resources and to propose parliamentaryamendments focused on youth activities. COAJ was founded in 2004 in the sisal region of semi-arid Bahia, with the objective of forming youth leadership to mobilize and update public policy in the municipalities and in the state.

A member of COAJ, Mirian Jorge, classifies BrazilFoundation's role as "super important."

We thought that the possibility of participating [in politics] was only for public administrators, or the mayor, the city councilmen, the congressmen. From the training we got, we realized this was not the case. We saw participation was a real possibility. Our administrators, particularly the councilmen, had a shock when we arrived with an amendment. We were there not to ask or to suggest. They saw we were organized and outspoken, and that we had the same document that they used, and they were forced to put it on the agenda. In the municipality of Antônio Cardoso, for example, we had amendments pass unanimously, like for the college prep course, "Educar para mudar" to educate for change, and for transportation subsidies for high school students commuting to study in other cities.

Estávamos sentados ali não para pedir ou sugerir. Viram que estávamos organizados e articulados.

We were there not to ask or to suggest. They saw we were organized and outspoken.

11

PRECE | *Manoel Andrade*

PRECE | *Manoel Andrade*

Mas o exemplo mais bem-sucedido de projeto apoiado pela BrazilFoundation que influenciou a política pública é o Programa de Educação em Células Cooperativas (PRECE), nascido na pequena comunidade rural de Cipó, em Pentecoste, a mais de cem quilômetros de Fortaleza, no Ceará. Sua metodologia foi difundida na Universidade Federal do Ceará e na Universidade do Estado do Mato Grosso, levando à criação, em 2009, da Coordenadoria de Formação e Aprendizagem Cooperativa (Cofac). Em 2011, ela passou a ser implementada nas escolas estaduais da rede pública do Ceará por meio do projeto Estudante Cooperativo, da Secretaria Estadual de Educação. Graças ao PRECE, mais de 500 jovens já entraram na universidade e mais de cem se graduaram, incluindo 13 mestres e dois doutores – além de três doutorandos.

O PRECE, mantido pelo Instituto Coração de Estudante, foi criado em 1994 por Manoel Andrade. Como não havia escola em Cipó, vilarejo em que havia sido criado, Manoel foi aos 9 anos estudar em Fortaleza, onde moravam os avós.

The most successful example of a BrazilFoundation grantee project that has influenced public policy is a cooperative cells learning program, "Programa de Educação em Células Cooperativas" (PRECE). Its roots are in the small rural community of Cipó, Pentecoste, at a distance of more than a hundred kilometers from Fortaleza, Ceará. Their methodology was disseminated at the Universidade Federal do Ceará and the Universidade do Estado do Mato Grosso, which led to the creation of the agency for cooperative learning, Coordenadoria de Formação e Aprendizagem Cooperativa - COFAC, in 2009. By 2011, their methodology was being used in the Ceará state public school system through a project called Estudante Cooperativa under the auspices of the Secretaria Estadual de Educação (State Secretariat of Education). Thanks to PRECE, more than 500 students have enrolled in college and more than a hundred have graduated, including thirteen with masters and two with doctorates, and there are three more still in PhD programs.

PRECE is run by the Instituto Coração de Estudante, which was created in 1994 by Manoel Andrade. There was no school in Cipó, the town where he was raised, so at nine years of age, he was sent to study in Fortaleza, where his grandparents lived.

"Graças ao PRECE, nascido na pequena comunidade rural de Cipó, em Pentecoste, a mais de cem quilômetros de Fortaleza, no Ceará, mais de 500 jovens já entraram na universidade e mais de cem se graduaram, incluindo 13 mestres e dois doutores - além de três doutorandos."

"Thanks to PRECE, more than 500 students have enrolled in college and more than a hundred have graduated, including thirteen with masters and two with doctorates, and there are three more still in PhD programs."

Formou-se, fez mestrado e doutorado, tornou-se professor de Química da Universidade Federal do Ceará e decidiu que era hora de ajudar seus conterrâneos. Todo fim de semana pegava seu carro velho, botava a mulher e as três filhas, e dirigia de volta ao povoado para escolarizar os filhos dos pequenos agricultores locais. Mais tarde, preparava-os para o vestibular. Durante a semana, eles estudavam em grupos com a ajuda de monitores, em geral alunos mais antigos. E, aos sábados e domingos, tinham aulas com Manoel e com outros voluntários - universitários vindos de Fortaleza, que já haviam passado pelo projeto e retornavam para colaborar com outros moradores.

A inspiração para o programa veio de uma experiência que ele viveu aos 16 anos, quando um jovem o convidou para participar de um grupo de estudos. Cada integrante tinha que ensinar sua matéria favorita aos demais. A de Manoel era Biologia. Anos depois, já professor da universidade, lembrou-se da antiga ideia do amigo e chamou alguns jovens de Cipó para montar um grupo de estudos debaixo de um pé de juazeiro. Apenas cinco homens e uma mulher aceitaram. Tinham em comum a pouca escolaridade – um de 20 anos, por exemplo, havia abandonado a escola na quarta série. Alguns pais preferiam que eles estivessem trabalhando. Mas Manoel insistia. Chegou a levá-los a Fortaleza para conhecer a universidade e convencê-los de que eles também podiam entrar ali e ter sucesso na vida.

He graduated, got his masters and his doctorate, became a professor of chemistry at the Universidade Federal do Ceará and decided that it was time to help his fellow countrymen. Every weekend, he would get in his car, and with his wife and three daughters, drive to the village to teach the village youth, children of local farmers. Later, he would tutor older students for their college preparatory exams. During the week they studied in groups on their own or with the help of monitors, who were usually more advanced students. But on Saturdays and Sundays the classes were with Manoel and other volunteers – university students from Fortaleza mostly – who had been through the program and who returned to collaborate with other residents of their home communities.

The program was inspired by an experience Manoel had when he was sixteen. A friend had invited him to participate in a study group. Members had to teach their favorite subject to the others. Manoel's was biology. Years later, as a university professor he remembered his friend's idea and invited the youth of Cipó to meet under a leafy jujube tree. Only six boys and a girl showed up. They had some schooling in common – one, who was twenty, had only finished fourth grade. Some parents preferred that their kids go to work. But Manoel insisted. He even took his students to Fortaleza to show them the university and tried to convince them that they could also gain admission and make something of their lives.

Após dois anos, um deles fez vestibular de Pedagogia e foi aprovado. Em seguida foi a vez de mais um passar, depois outro. Dos sete, cinco passaram no vestibular, dois deles em primeiro lugar – em Pedagogia e Agricultura. E dessa forma surgia o PRECE, que estimula os estudantes a manterem o vínculo com suas cidades, a exemplo do que Manoel fez. Dois dos seis formandos iniciaram em Pentecoste suas próprias ONGs, a Agência de Desenvolvimento Econômico Local, por Wagner Gomes, e a Associação de Estudantes de Paramoti, por Aurenir Salles, que também receberam apoio da BrazilFoundation.

Susane esteve em Cipó pela primeira vez no mesmo ano de 2003 em que foi a Santa Rita com Raimundo Muniz, do grupo maranhense Cem Modos. Levada por Manoel, ela foi avaliar o projeto "Pré-vestibular cooperativo". Já era fim de tarde, a estrada piorava a cada buraco e a fome apertava, quando ela propôs pararem para tomar um café. Só havia uma vendinha, onde se abasteceram de café morno de garrafa térmica e tapioca fria de gosto ruim. Seguiram viagem em meio ao sertão inóspito até a casa dos pais de Manoel. Perto dali, ficava a casa de farinha comunitária onde os meninos estudavam, num terreno doado por seu pai. Manoel mostrou a Susane os dois computadores da organização, um deles quebrado, e mais tarde voltaram para Fortaleza. Ele torcia para que ela tivesse saído bem impressionada da visita. "Estamos com a corda no pescoço", pensou. Mas não estava esperançoso.

After two years, one passed his college exams and was accepted into a college for pedagogy. Then, another passed and another. Of seven, five passed the college entrance exams, two in first place — in pedagogy and agriculture. And this is how PRECE came to be about students' ties with their home cities. Two of the seven who graduated created NGOs in Pentecoste, have also received support from BrazilFoundation. They are Wagner Gomes with his Agência de Desenvolvimento Econômico Local, an organization stimulating local economic development, and Aurenir Salles' Associação de Estudantes de Paramoti, a student association in the town of Paramoti.

Susane was in Cipó for the first time in 2003, the same year she visited Santa Rita with Raimundo Muniz of Cem Modos. Manoel took her to evaluate the project "Pré-Vestibular Cooperativo," the cooperative college prep course. It was late in the afternoon, the road got worse with every pothole and she was getting hungry, so she proposed they stop and have a coffee. There was only one coffee shop, where she was poured a warm cup of coffee from a thermos and given cold tapioca to eat — which tasted bad. They continued their trip through that inhospitable wilderness to Manoel's parent's house. Nearby there was the community flourmill where the kids studied on property donated by his father. Manoel showed Susane the organization's two computers, one of them broken, and then they returned to Fortaleza. He hoped she had been favorably impressed by her visit. He thought, "We're at the end of our rope."

No ano anterior, já havia enviado o mesmo projeto para outra instituição e não fora escolhido. Pior. Nenhum projeto seu havia sido apoiado até aquela ocasião.

O que só viria a saber depois é que Susane ficara encantada com o trabalho, que acabou sendo selecionado. O que não quer dizer que ela não tenha se assustado quando, dois meses após repassar a primeira metade dos R$ 30 mil, Manoel ligou:

– Susane, gastei todo o dinheiro para pagar a prestação da Kombi – disse ele, apreensivo, referindo-se ao veículo comprado para transportar os universitários que vinham de Fortaleza para Cipó e Pentecoste.

– Pelo amor de Deus, Manoel! Era para durar seis e não dois meses. Como vocês vão fazer até ganhar a segunda parcela?

– É que sem a Kombi a gente não chega aos lugares e o projeto não anda.

Embora o argumento fosse convincente, não havia como alterar as regras. Susane disse:

– Você se vira Manoel. Só vai receber a outra parte daqui a quatro meses.

E ele se virou. Tanto que, mais tarde, o PRECE teve outros dois projetos apoiados pela fundação – "Incubadora de células educacionais", em 2005, e "Escolas populares cooperativas", em 2010.

Manoel agradece o empurrão inicial da BrazilFoundation:

– O primeiro apoio chegou numa fase importante, porque estávamos enfrentando muitas dificuldades financeiras. Cipó estava ficando pequena para tanta gente que vinha estudar e tivemos que abrir um novo núcleo em Pentecoste. A BrazilFoundation acreditou no PRECE quando ele não tinha nem conta bancária e seus estudantes aprendiam embaixo de juazeiros e algarobeiras.

But he wasn't hopeful. The previous year, he had sent his proposal to another institution and it was not chosen. None of his projects had thus far been selected for funding.

Later he would learn that Susane was delighted by the work, and his project was eventually selected. That is not to say that she had not been startled when, two months after receiving the first half of his R$30,000 grant, Manoel called:

"Susane, I spent all of the money to pay down a loan on our Volkswagen van," he said, apprehensively. He was referring to the vehicle he'd bought to shuttle university students between Fortaleza and Cipó and Pentecoste.

"For the love of God, Manoel! It was supposed to last you six months, not two. What are you going to do until you receive the second installment?"

"Well, without the van we do not get anywhere and the project does not move forward."

Although his argument was convincing, there was no way to alter the rules. Susane said:

"Figure it out, Manoel. You are only going to receive the second installment in four months' time."

And so he figured it out. He did so well that PRECE later received BrazilFoundation support for two other projects: "Incubadora de Células Educacionais," an incubator for educational cells, in 2005, and "Escolas Populares Cooperativas," creating cooperative public schools, in 2010.

Manoel is grateful to BrazilFoundation for this initial push:

"The first grant came at an important phase because we were facing many financial difficulties. Cipó was getting too small for all the people attracted to study there and we had to open a new branch in Pentecoste. BrazilFoundation believed in PRECE when it didn't have a bank account and students still studied beneath the trees."

Interdependência

- O primeiro apoio chegou numa fase importante, porque estávamos enfrentando muitas dificuldades financeiras. Cipó estava ficando pequena para tanta gente que vinha estudar e tivemos que abrir um novo núcleo em Pentecoste. A **Brazil**Foundation acreditou no PRECE quando ele não tinha nem conta bancária e seus estudantes aprendiam embaixo de juazeiros e algarobeiras.

The first grant came at an important phase because we were facing many financial difficulties. Cipó was getting too small for all the people attracted to study there and we had to open a new branch in Pentecoste. **Brazil**Foundation believed in PRECE when it didn't have a bank account and students still studied beneath the Jujube and Carob trees.

12

Uma parceria transformadora

A transformative partnership

A BrazilFoundation nasceu oficialmente em 2000, mas para entender sua história é preciso recuar 45 anos antes, quando uma nova aluna entrou na turma em que estudava Susane, no primeiro ano científico do colégio Anglo-Americano, em Botafogo. Leona Forman – então Leona Shluger – nasceu na China. Seus avós paternos, de origem russa, haviam se mudado para o país em 1905. O avô era comerciante de grãos e viu ali a oportunidade de trabalhar na construção de uma estrada de ferro. Em 1949, com a Revolução Chinesa e a ascensão de Mao Tsé-Tung, os estrangeiros começaram a sair do país. Em 1953, foi a vez dos pais de Leona. Três países estavam aceitando refugiados: Brasil, Israel e Austrália. Optaram pelo Brasil, onde já estava uma irmã mais velha de Leona, filha do primeiro casamento de sua mãe.

Leona e Susane logo se tornaram amigas. Com o passar do tempo, tomaram rumos diferentes, mas não perderam de todo o contato. Leona fez Jornalismo, casou-se com Shepard , que fazia pesquisas no Brasil, mudou-se para Nova York e, em 1981, foi contratada pela ONU, para o Departamento de Informação Pública. Entre as atividades que exerceu, estava a direção da seção de ONGs da instituição. Com a aposentadoria compulsória aos 60 anos, decidiu que era a hora de retribuir a acolhida que sua família teve no Brasil. Ao ver de que forma a Fundação Ford, onde seu marido trabalhou por

BrazilFoundation was officially created in the year 2000, but to really understand its history we need to go forty-five years further back in time to the moment when a new student joined Susane's freshman high school class at the Anglo-American School in Botafogo. Leona Forman – then Leona Shluger – was born in China. Her paternal grandparents had moved there from Russia in 1905. Her grandfather was a grain trader who saw an opportunity to work on the construction of a railway in China. In 1949, with the advent of the Chinese Revolution and the rise of Mao Tse-tung, foreigners began to leave the country. In 1953 it was Leona's parents' turn. Three countries were accepting refugees: Brazil, Israel and Australia. They opted for Brazil, where an older sister of Leona's (a daughter of her mother's first marriage) already lived.

Leona and Susane became fast friends. Their lives took different routes over time, but they never lost touch altogether. Leona studied journalism and married Shepard Forman, who was conducting research in Brazil. When they moved to New York in 1981, Leona was hired by the UN to work in the Department of Public Information. One of her roles in her time there was to lead the United Nations' NGO department.

When she reached the compulsory retirement age of sixty, Leona decided it was time to give something back to the country that had welcomed her family, when she was thirteen. Seeing that the

18 anos, financiou projetos brasileiros – como, por exemplo, concedendo bolsas de estudos a cientistas sociais, entre eles o ex-presidente Fernando Henrique e dona Ruth Cardoso –, ela teve a ideia de criar uma fundação que arrecadasse recursos nos Estados Unidos para apoiar ONGs no país que a recebeu aos 13 anos. Começou a fazer consultas em Nova York. Falou sobre a proposta com o embaixador do Brasil na ONU, Gelson Fonseca, e com dona Ruth, e ouviu elogios dos dois. No casamento do filho de amigos brasileiros, perguntou a 40 convidados:

– Se houvesse uma maneira confiável de fazer uma doação para um projeto social no Brasil, com incentivo fiscal nos Estados Unidos, você doaria?

Todos disseram sim. Leona viu nessa noite que havia potencial para sua ideia. Outro passo à frente para estabelecer uma conexão filantrópica entre os dois países aconteceu quando conheceu o advogado Marcello Hallake, que se ofereceu para trabalhar com ela. Foi franca:

– Não tenho dinheiro, local, nome nem ninguém trabalhando comigo.

Ele não desanimou.

– Era exatamente algo assim que eu queria fazer – lembra Marcello. – Achava importante sensibilizar os jovens profissionais brasileiros bem-sucedidos de Nova York a retribuir a sorte que tiveram, para ajudar o Brasil que tinham deixado. Muitas comunidades imigrantes nos Estados Unidos tinham uma forte cultura filantrópica e solidária, e isto pouco existia na época com os brasileiros.

Marcello poderia ser útil, registrando a ONG pela firma em que trabalhava, a Morgan Lewis & Bockius, pro bono. (10) Só que, para ser incorporada pelo escritório de advocacia, era preciso mais uma pessoa, além dos dois, já que uma organização sem fins lucrativos, criada perante as leis do Estado de Nova York, necessita de um mínimo de três conselheiros.

Ford Foundation, where her husband had worked for eighteen years, financed Brazilian projects (for example by granting scholarships to social scientists, including the ex-President Fernando Henrique and his wife Dr. Ruth Cardoso), she decided to create a foundation that would gather resources in the US to support NGOs in Brazil. She began to consult people in New York. She spoke about the proposal to Gelson Fonseca, the Brazilian ambassador to the UN, and to Ruth Cardoso, and received encouragement from both of them. At the wedding of the son of Brazilian friends, she asked forty guests the same question:

"If there were a secure way of making a donation to a social project in Brazil, with a tax incentive for it in the US, would you donate?"

They all answered yes. That night, Leona understood her idea had potential.

Another step forward in establishing a philanthropic link between the two countries happened when she met the lawyer Marcello Hallake, who offered to join her. She was straight with him from the start:

"I haven't got any money, an office, a name or anybody working for me."

He was undaunted. Marcello recalls:

It was just the sort of thing I was hoping to do. I thought it was important to encourage successful young Brazilian professionals in New York to pay back some of the luck they'd had and help the Brazil they'd left behind. Many immigrant communities in the US had a strong culture of philanthropy and solidarity, but that didn't exist so much among Brazilians at the time.

Marcello could help pro bono by registering the NGO through the firm he worked for – Morgan Lewis & Bockius. (10) But to do this, they needed one more person, as the law in the State of New York requires a minimum of three board members to register a non-profit organization. The third person would preferably be somebody based in Brazil, since the idea was to establish a bridge between the two countries. That's when Leona thought of Susane, who had, by that time, built a career in the arts.

"– Se houvesse uma maneira confiável de fazer uma doação para um projeto social no Brasil, com incentivo fiscal nos Estados Unidos, você doaria?

Todos disseram sim."

"If there were a secure way of making a donation to a social project in Brazil, with a tax incentive for it in the US, would you donate?"

They all answered yes."

De preferência deveria ser alguém sediado no Brasil, já que a ideia era estabelecer uma ponte entre os dois países. Foi aí que Leona se lembrou de Susane, que havia construído uma carreira na área cultural. Um dos projetos que elaborara havia sido o "Teatro ídiche no Brasil". Conseguira 5 mil dólares de uma instituição americana, mas a verba teria que passar para outra organização dos Estados Unidos até chegar a ela. Questões burocráticas impediram a negociação. Leona acompanhou toda a agonia para liberar o dinheiro, já que Susane estava hospedada em seu apartamento em Nova York. Um dia, já de volta ao Rio, na varanda de sua casa, Susane ouviu a amiga dizer que tivera a ideia de fazer uma fundação que captasse dinheiro nos Estados Unidos para apoiar projetos sociais brasileiros, aproveitando-se da lei de imposto de renda americana, muito favorável a isso. Leona sugeriu que ela ficasse responsável pela organização no Brasil. Apesar de nunca ter trabalhado na área social, Susane pensou: "Projeto eu sei fazer e dificuldade estou habituada a enfrentar." Não demorou a aceitar. Na hora de escolher o nome, Leona se baseou no desejo de abranger todo o país com o trabalho da nova fundação. E surgiu assim a **Brazil**Foundation.

One of the research projects Susane was working on was about Yiddish Theatre in Brazil. She'd secured $5,000 from an American institution, but the funds would have to go through another organization in the US before she could receive them. Bureaucratic issues hampered the negotiations.

Leona was well aware of the huge difficulties Susane was having in clearing the funding, as Susane was staying in her New York apartment at the time. Shortly before heading back to Rio, Susane listened as her friend told her about the idea she had to support social projects in Brazil, making the most of the very favorable American income tax law. Despite having never worked in the third sector, Susane thought: "I know how to run a project, and I definitely know about taking on challenges." She was quick to say yes.

When it came to naming the organization, Leona wanted to express her hope that the work of the new foundation would encompass the whole country.

13

A filantropia da diáspora

Diaspora philanthropy

Desde o começo Leona tinha em mente uma meta para a instituição: "Um Brasil com oportunidade para todos." E para que isso fosse possível era preciso construir uma comunidade de doadores nos Estados Unidos, aproveitando-se do elevado contingente brasileiro morando no país, superior a 1,2 milhão de pessoas. Mas não se tratava simplesmente de arrecadar dinheiro e sim de sensibilizar um grupo de pessoas interessadas em ajudar. Um dos modelos de Leona é a filantropia da diáspora, que é quando os expatriados mantêm uma ligação afetiva com o país de nascimento e querem contribuir de alguma forma, mesmo estando longe. Em vez de ignorar as origens e virar as costas para seus conterrâneos, eles optam por se comprometer na luta pela transformação social do país que deixaram.

– São pessoas que, embora fisicamente distantes, querem ajudar, do jeito que puderem, seja com seu tempo, seus recursos, seus talentos ou seus contatos – diz a arquiteta Patricia Lobaccaro, voluntária de primeira hora, ela mesma um modelo desse tipo de engajamento.

A historiadora Márcia Paiva diz que a BrazilFoundation transforma esses laços afetivos numa "força positiva em prol de uma mudança social no Brasil".

Leona had a clear idea of BrazilFoundation's objective from the outset: "A Brazil with opportunities for all." To make this possible, it was important to build a community of donors in the US, so Leona turned to the huge numbers of Brazilians living there – over 1.2 million people. But for Leona this wasn't just about raising funds; it was about raising awareness amongst a group of people with an interest in helping out. One of the models Leona used was that of diaspora philanthropy, which is when expats maintain an emotional link to their country of birth, and wish to contribute in some way – even from abroad. Instead of ignoring their origins and turning their backs on their fellow countrymen, these are people who choose to commit to fight for the social transformation of the country they left behind.

"They're people who, though physically at a distance, want to help in whatever way they can, be it with their time, their resources, their skills or their contacts," says architect Patricia Lobaccaro, one of BrazilFoundation's earliest volunteers and an example of this very type of engagement.

The historian Márcia Paiva says that BrazilFoundation transforms these emotional ties into "a positive force for social change in Brazil."

"Um dos modelos de Leona é a filantropia da diáspora, que é quando os expatriados mantêm uma ligação afetiva com o país de nascimento e querem contribuir de alguma forma, mesmo estando longe. Em vez de ignorar as origens e virar as costas para seus conterrâneos, eles optam por se comprometer na luta pela transformação social do país que deixaram."

"One of the models Leona used was that of diaspora philanthropy, which is when expats maintain an emotional link to the country of their birth, and wish to contribute in some way – even from abroad. Instead of ignoring their origins and turning their backs on their fellow countrymen, these are people who choose to commit to fight for the social transformation of the country they left behind."

O trabalho de mobilização iniciado por Leona permitiu a criação de uma rede de doadores que já conta com mais de sete mil pessoas cadastradas. Muitos doam pela internet, principalmente quem mora fora de Nova York. Há desde aquele que contribui com 10 dólares uma única vez até o que destina 50 mil dólares ao ano. Nos dez primeiros anos, de 2001 a 2011, a instituição levantou mais de 17 milhões de dólares e beneficiou cerca de 300 organizações.

Roberta Mazzariol acompanhou cada passo da montagem dessa rede. Ao participar da primeira reunião em 2000 na casa de Leona Forman em Nova York, percebeu que havia encontrado o que queria. Ao lado de outros brasileiros radicados nos Estados Unidos, ela poderia colaborar com seu país de origem e não ser apenas uma mera "espectadora". Roberta trabalhava num grande banco e teria como ser útil com seus conhecimentos financeiros. Tornou-se a tesoureira.

– O carisma de Leona e Susane tem muito a ver com a capacidade da **Brazil**Foundation em recrutar tantas pessoas entusiasmadas até hoje – diz.

Leona mobilized a network of donors that currently includes over seven thousand registered people. Many of them donate online, especially those who live outside New York. Donations can range from a one-off $10 contribution, to an annual $50,000 gift. From 2001 to 2011, the organization raised over $17 million and benefited approximately 300 organizations.

Roberta Mazzariol was present at every step in the creation of that network. She took part in the very first meeting at Leona's house in New York in 2000, and from that moment she understood that she had found what she was looking for. Alongside other Brazilians based in the US, she could actively work with, and for, her country of origin, and cease being a mere "spectator." Roberta worked for a large bank and was able to offer her financial knowledge to the cause. She became BrazilFoundation's treasurer.

"Leona's and Susane's charisma plays a large part in BrazilFoundation's ability to recruit so many enthusiastic people to this day."

Mas a trajetória da fundação não seguiu sem sobressaltos. Leona e Susane enfrentaram uma desconfiança inicial por parte de potenciais doadores e uma escassez de verbas recorrente. Não raro o escritório do Rio começava o ano com recursos somente até abril. "Não temos dinheiro!", era uma frase frequentemente ouvida nos corredores da instituição. Nos Estados Unidos, inicialmente, mais da metade das doações vinha de fundações como a Avina, a Ford Foundation, a Kellogg Foundation e a Tinker Foundation, já que à época não havia filantropia brasileira no país.

– O brasileiro não estava acostumado a doar. No Brasil, havia uma mentalidade de que investimento social era principalmente papel do governo. Nos Estados Unidos, há uma cultura da filantropia e você tem mecanismos de dedução fiscal que estimulam isso – diz Patricia.

A má fama de algumas ONGs, marcadas pela corrupção, também contaminou a imagem que muitos brasileiros têm de organizações sociais. Na época em que a fundação começou, prevalecia no Brasil a caridade e não o investimento social. Leona explica a diferença: na caridade você doa pela vontade de ajudar, sem esperar nada em troca, enquanto no investimento social há a expectativa de um retorno em termos de resultados obtidos por aquele apoio. Justamente o que a BrazilFoundation sempre procurou.

– A fundação nunca teve uma postura condescendente com as organizações, assistencialista, de olhar para baixo. Temos é uma admiração por aquelas pessoas que sabem o que estão fazendo. É como se déssemos a mão a elas. Uma das nossas principais descobertas é a capacidade empreendedora dos próprios líderes das comunidades, com sua maneira brilhante de resolver problemas seríssimos – diz Roberta Mazzariol.

But BrazilFoundation's trajectory was not always smooth sailing. Leona and Susane faced initial distrust from potential donors and an ongoing lack of funds. It wasn't unusual for the Rio office to start the year with only enough resources to see them through until April. "We haven't got any money!" was a phrase often heard in the corridors of the organization. In the US, initially, over half of the donations came from philanthropic entities like Avina, the Ford Foundation, the Kellogg Foundation and the Tinker Foundation, because there was no Brazilian philanthropic base there at the time.

"Brazilian's were not used to donating. In Brazil, people thought that social investment was primarily the job of the government. In the US there's a culture of philanthropy and you have tax break mechanisms that stimulate it," explains Patricia.

The bad reputation of a few NGOs, known for their corruption, also marred the image that many Brazilians had of non-profit organizations. At the time BrazilFoundation was launched, the ideas of charity and charitable donations were much more prevalent than the current model of social investment. Leona explains the difference: you donate to charities out of a desire to help, without expecting anything in return; when it comes to social investment, there is an expectation of a return on that investment, insofar as the donor expects to see results. Showing results is exactly what BrazilFoundation has always sought to do.

"BrazilFoundation has never taken a condescending or paternalistic stance in relation to the organizations it funds; we don't look down on them. We admire the people who know what they're doing. It's as if we were lending them a hand. One of our main discoveries has been seeing the entrepreneurial capacity of the community leaders we work with – their brilliant way of solving very serious problems," says Roberta Mazzariol.

O início

————————————————————————— 14

In the beginning

Os dois primeiros anos de trabalho da BrazilFoundation foram dedicados à montagem da estrutura física e legal da organização. A primeira doação, em 2001, de 20 mil dólares, veio da Fundação Avina, que contribuiu com mais 250 mil dólares para serem usados nos três anos seguintes. No começo, a sede brasileira funcionou na própria casa de Susane. Ela e sua secretária, Cátia Costa Pinto, hoje gerente administrativa da fundação, dividiam-se entre os projetos culturais de Susane e o novo trabalho. Após um ano, passaram para uma pequena sala emprestada pela ONG RioVoluntário. O valor doado pela Avina permitiu que se instalassem depois no Centro do Rio, num espaço cedido pela Federação das Indústrias do Rio de Janeiro (Firjan). O dinheiro foi resultado da capacidade de persuasão de Leona, como conta Geraldinho Vieira, representante da Avina no Brasil:

– Antes de escolher a BrazilFoundation, escolhemos a Leona. A força do sonho dela nos convenceu de que a fundação seria um sucesso. É um sonho audacioso, mas claro e viável. Temos que sonhar grande, mas com os pés no chão. Estamos muito felizes por termos acertado. (11)

Em Nova York, as atividades também se concentraram inicialmente na casa de Leona e de Shepard. Foi só em outubro de 2003 que o escritório se transferiu para um prédio na Sétima Avenida.

In its first two years, BrazilFoundation focused on developing its physical and legal structure. The first donation it received – in 2001 for $20,000 – came from the Avina Foundation, which would contribute a further $250,000 to be used over the following three years. In the beginning, the organization's Brazilian headquarters were in Susane's own home. She and her secretary, Cátia Costa Pinto (now BrazilFoundation's Administrative Officer), split their time between Susane's existing cultural projects and the new task at hand. One year later, the pair moved to a small room loaned to them by an NGO called RioVoluntário. The money donated by Avina then allowed them to take an office in downtown Rio, in a space given to them by FIRJAN. The money was a testament to Leona's powers of persuasion, as Geraldinho Vieira – Avina's representative in Brazil – remembers:

Before choosing BrazilFoundation, we chose Leona. The force of her vision convinced us that the foundation would be a success. It was a daring dream, but a clear and viable one. We have to think big, while we keep our feet on the ground. We're very happy to have got this one right. (11)

In New York, BrazilFoundation initially functioned out of Leona and Shepard's apartment. It was only in October 2003 that the office moved to a building on Seventh Avenue.

Um dos primeiros passos da fundação em Nova York foi a montagem, em 2001, de um conselho consultivo, formado inicialmente pelo embaixador do Brasil junto à ONU, Gelson Fonseca, pela antropóloga Ruth Cardoso, pelo economista Edmar Bacha, pelo cartunista e educador Claudius Ceccon, do Centro de Criação de Imagem Popular (Cecip), pelo executivo Hélio Mattar, presidente da Fundação Abrinq e do Instituto Akatu, pelo brasilianista inglês Kenneth Maxwell e pelo músico Gilberto Gil, fundador da ONG Onda Azul. O conselho teve um papel fundamental, ao dar credibilidade à fundação. (12) Um exemplo foi a primeira apresentação ao mundo empresarial da cidade, que marcou o lançamento oficial da BrazilFoundation e teve dona Ruth como palestrante. O cenário do encontro foi o salão da Organização dos Advogados de Nova York, e os convidados eram os integrantes da Câmara de Comércio Brasil-Estados Unidos, que abriu suas portas porque havia um conselho de notáveis referendando o trabalho da instituição.

Em seguida, começou um ciclo de palestras em que líderes de organizações não governamentais do Brasil mostravam seus projetos a potenciais doadores brasileiros que viviam nos Estados Unidos. (13) No ciclo "Ideias que transformam o Brasil", a plateia interagia com representantes do terceiro setor e ganhava confiança, que é a palavra-chave daquilo que a fundação faz. Afinal, as pessoas tinham que acreditar que o dinheiro arrecadado iria para o lugar certo e produziria resultados. Mas, ainda que contasse com o apoio de nomes de peso, Leona se acostumou a escutar nos quatro primeiros anos:

– Como você sabe que esse dinheiro vai ser bem gasto? Como você sabe que ele não vai para o bolso errado?

Graças à capacidade que ela tem de inspirar as pessoas, à seleção rigorosa e cautelosa dos projetos, ao trabalho muito próximo da equipe do Rio com os gestores e aos resultados alcançados, pouco a pouco o receio desapareceu.

One of the first steps BrazilFoundation took in New York was to establish an advisory board. The board was initially formed by Gelson Fonseca, then Brazilian ambassador to the UN; the anthropologist Ruth Cardoso; the economist Edmar Bacha; the cartoonist and educator Claudius Ceccon from the Centro de Criação de Imagem Popular - CECIP; the British Brazilianist Kenneth Maxwell; and the musician Gilberto Gil – founder of the NGO Onda Azul. The board played a crucial role in granting credibility to BrazilFoundation. (12) Take, for example, BrazilFoundation's introduction to the New York business world (and its official launch), featuring Dr. Ruth Cardoso as the keynote speaker. The event took place in the great hall of the Association of the Bar of the City of NY (now called the NY City Bar Association), and was largely attended by members of the Brazilian-American Chamber of Commerce.

Soon after the launch, BrazilFoundation organized a series of talks featuring the directors of various Brazilian NGOs, in which they presented their work to potential Brazilian donors living in the US. (13) The series was called "Ideas That Transform Brazil," and here the audience had the opportunity to interact with lecturers. This was an important step in building trust amongst potential donors – trust being a key word in BrazilFoundation's work. After all, people had to believe the funds being raised would go to the right place and produce results. And despite the reputable names backing her initiative, Leona became accustomed to hearing plenty of skepticism in those first four years:

"How do you know the money will be well spent? How do you know it won't end up in the wrong pockets?"

But thanks to her ability to inspire people, to the rigorous and careful project selection process, to the close working relationship between the team in Rio and the executive in New York and to the results they were achieving that fear gradually receded.

"Donors know that the money they're giving is closely monitored. BrazilFoundation makes sure the funds are put to good use. A second installment of project funds won't be released unless the project plan is well implemented," Patricia explains.

– Os doadores têm a segurança de que o dinheiro que estão dando é acompanhado de perto. A **Brazil**Foundation assegura que a verba está bem empregada. Basta ver que a segunda parcela dos recursos só é dada se o plano de trabalho está sendo bem implementado – diz Patricia.

Esse modelo de atuação faz com que o doador adquira confiança e perceba que as coisas de fato acontecem.

Patricia conheceu Leona em 2002, numa das palestras do ciclo "Ideias que transformam o Brasil". Após a fala da socióloga Thereza Lobo sobre alfabetização solidária e sobre a Comunitas, entidade criada para expandir as atividades da ONG Comunidade Solidária de dona Ruth Cardoso, ela se aproximou da dona da casa e perguntou:

– O que posso fazer para ajudar?

Outras duas pessoas, Vanessa Simone Pereira e Flavia Cattan-Naslausky, tiveram a mesma iniciativa e Leona sugeriu que as três unissem forças e organizassem uma festa para arrecadar fundos. Elas viram no boletim da fundação fotos dos quatro projetos selecionados naquele primeiro edital e encantaram-se com a imagem de meninos fantasiados de palhaços do Instituto de Incentivo à Criança e ao Adolescente (ICA) de Mogi Mirim, em São Paulo, que mantinha o "Carpe diem". "Podiam estar na rua, mas estão aí, sorrindo, tendo oportunidade", pensou Patricia. Era o único dos projetos que tinha foco nas crianças e elas quiseram que o dinheiro do evento apoiasse o trabalho da organização. A quantia arrecadada foi de 24 mil dólares. O ICA recebeu 15 mil dólares e o restante ficou para a seleção do ano seguinte. Em janeiro de 2003, Patricia visitou o projeto. Assistiu a uma exibição de circo e foi apresentada a um dos meninos da foto. Ficou fascinada com a hospitalidade.

– Fui recebida com um calor humano que você não vê em Nova York. Foi muito legal ver na prática o que a gente só conhecia pela foto dos palhacinhos. Cria um vínculo emocional que você não é capaz de formar apenas por uma imagem.

This way of doing things inspires confidence in donors, letting them see that their money really is generating change.

Patricia met Leona in 2002, at one of the "Ideas that Transform Brazil" talks. After listening to the sociologist Thereza Lobo speak about adult literacy programs and about Comunitas – an organization created to build on the activities of Ruth Cardoso's NGO Comunidade Solidária – Patricia approached Leona and asked:

"What can I do to help?"

Two more people approached Leona that night – Vanessa Simone Pereira and Flavia Cattan-Naslausky. Leona suggested that the three women join forces and organize a fundraiser.

The women had seen photographs of the four projects funded during **Brazil**Foundation's first year in its newsletter, and they had all loved the picture of children dressed up as clowns for the "Carpe Diem" project run by the Instituto de Incentivo à Criança e ao Adolescente – ICA, in Mogi Mirim, São Paulo. "They might live on the streets, but they're still smiling; they're being given a chance," thought Patricia. Of the four projects being funded, it was the only one to focus on children, and all three women wanted the money raised by the event to go toward it.

The event raised $24,000. The ICA received $15,000 and the remaining money was put toward the following year's shortlisted programs. In January 2013 Patricia visited the project. She watched a circus show and was introduced to one of the kids from the photograph. She was amazed by the hospitality she received,

I was welcomed with human warmth that you don't get in New York. It was great seeing in real life the work I only knew through photographs. It created an emotional bond that you can't establish through a picture alone.

15

Andarilhos

Good walkers

O rigor na escolha das propostas, como se viu, tem relação direta com as visitas aos candidatos semifinalistas. Ao longo desses anos todos de viagem de reconhecimento, Susane e os analistas da **Brazil**Foundation estiveram em cidades como Açailândia (MA), Aiuruoca e Catas Altas da Noruega (MG), Ananindeua (PA), Cansanção (BA), Solonópole e Tejuçuoca (CE), Dormentes e Vitória de Santo Antão (PE), Espumoso (RS), Goioerê (PR) e Ji-Paraná (RO).

Nessa epopeia pelo Brasil adentro, eles perambularam por locais como a estrada Os Três Porquinhos, no Bairro de Robalo, em Aracaju (SE), a Rua dos Timbiras, na Passagem Paulo VI, em Cremação, Belém (PA), a Rua Montanha Russa, no Centro de São Luís (MA), e a Rua Principal de Pau-Pombo, no distrito Tapera, em Aquiraz (CE).

Com sua alma de viajante, Susane certa vez foi conhecer um projeto de seringueiros acreanos para uso sustentável da Floresta Amazônica. Teve que cruzar a fronteira com a Bolívia para que o taxista abastecesse o carro, já que a gasolina no país vizinho era mais barata. Já de volta ao Acre, chegou à praça principal de Assis Brasil e aguardou o gestor, conforme o combinado. Ele demorou-se mais que o esperado, até que apareceu e se justificou:

— Desculpe, tive que vir andando. Choveu muito, não passa nada na estrada.

As we've already seen, BrazilFoundation's rigor in selecting proposals is directly linked to the personal visits bestowed on every semifinalist project. Over the course of several years of reconnaissance trips, Susane and BrazilFoundation analysts travelled to cities as far flung as Açailândia in Maranhão, Aiuruoca and Catas Altas da Noruega in Minas Gerais, Ananindeua in Pará, Cansanção in Bahia, Solonóple and Tejuçuoca in Ceará, Dormentes and Vitório de Santo Antão in Pernambuco, Espumoso in Rio Grande do Sul, Goioerê in Paraná and Ji-Paraná in Rondônia. In their epic travels across Brazil, they stumbled across some unusual place names.

Susane once paid a visit to a project set up by rubber tappers in Acre to promote the sustainable use of the Amazon rainforest. But instead of taking her there directly, the driver crossed the border into Bolivia because there gas was cheaper. They headed back to Acre, Brazil, and arrived at the main square in Assis, where she'd arranged to meet the project manager. He turned up considerably later than expected, and immediately excused himself:

"I'm sorry I'm late; I had to come by foot. It's rained a lot and the roads are ruined."

It had taken him six hours to walk there. Susane asked if there was any form of transport that could tackle the roads in the rain, and he said:

"Only a horse."

"Ao longo desses anos todos de viagem de reconhecimento, Susane e os analistas da **Brazil**Foundation estiveram em cidades como Açailândia (MA), Aiuruoca e Catas Altas da Noruega (MG), Ananindeua (PA), Cansanção (BA), Solonópole e Tejuçuoca (CE), Dormentes e Vitória de Santo Antão (PE), Espumoso (RS), Goioerê (PR) e Ji-Paraná (RO). Nessa epopeia pelo Brasil adentro, eles perambularam por locais como a estrada Os Três Porquinhos, no bairro de Robalo, em Aracaju (SE), a rua dos Timbiras, na passagem Paulo VI, em Cremação, Belém (PA), a rua Montanha Russa, no centro de São Luís (MA), e a rua Principal de Pau-Pombo, no distrito Tapera, em Aquiraz (CE)."

"In their epic travels across Brazil, they stumbled across some unusual place names. Names that translate roughly as "three little pigs road" in the "common snook" neighborhood of Aracaju; "slave street," on Pope Paul VI Passage in "cremation," Belém; "rollercoaster road" in the Centre of São Luis; and "main street of the mandioc tree" in the district of Tapera, in Aquiraz."

- Desculpe, tive que vir andando. Choveu muito, não passa nada na estrada.
O rapaz havia levado seis horas caminhando. Susane perguntou se algum meio de transporte passava na chuva e ele respondeu:
- Só cavalo.
E assim foi sugerida a compra de um cavalo no orçamento.

I'm sorry I'm late; I had to come by foot. It's rained a lot and the roads are ruined."
It had taken him six hours to walk there. Susane asked if there was any form of transport that could tackle the roads in the rain, and he said:
"Only a horse."
And that was how money to buy a horse was included in the final budget.

O rapaz havia levado seis horas caminhando. Susane perguntou se algum meio de transporte passava na chuva e ele respondeu:

– Só cavalo.

E assim foi sugerida a compra de um cavalo no orçamento.

Em suas andanças pelo interior do Brasil, os analistas abrem mão do conforto e estão ao sabor do imprevisto. Os problemas logísticos são comuns. Uma vez, Susane chegou exausta a Aracaju, em Sergipe, em meio a um encontro de produtores de mel do Nordeste. Chovia, passava das 23h e o táxi rodava a cidade atrás de hotel, sem encontrar vaga. Até que finalmente o funcionário de uma pequena hospedagem ligou avisando que haviam cancelado uma reserva. Por pouco não passou a noite no carro. No dia seguinte, após visitar um projeto de reciclagem de lixo, foi para o aeroporto, apenas para descobrir que o encontro de produtores tinha acabado e não havia nenhum voo de volta para o Rio. Para retornar, teve que fazer escala em cinco aeroportos.

A vida em trânsito é um preço pequeno diante da oportunidade de conhecer uma terra e uma gente encobertas pelo país oficial. As viagens exploratórias levam Leona a fazer uma comparação e chamar Susane de bandeirante, fincando marcos pelo país. Ela às vezes se diz a "última otimista do Brasil", porque volta das visitas encantada. Nessa jornada, tem encontros surpreendentes, como em 2006, com os integrantes do Sindicato dos Trabalhadores do Serviço Público de Gentio do Ouro, na Bahia, que tinham uma rádio comunitária e fizeram um projeto, "Cidadania ativa", de controle social dos gastos do prefeito. A ideia era mobilizar a comunidade para participar das decisões públicas do município.

– Me marcou muito porque eles tinham uma organização incrível no meio do nada – lembra-se Susane.

And that was how money to buy a horse was included in the final budget.

In their travels to the interior of Brazil, the analysts often sacrifice creature comforts and are open to improvisation. Logistical problems are par for the course. There was the time Susane arrived, exhausted, in Aracaju in Sergipe, only to find the town was hosting a convention of Northeast honey producers. It was raining and close to midnight, and the taxi stopped at hotel after hotel in search of a spare room. Finally, the receptionist at a small hostel called to let them know there had been a last-minute cancellation. Had it not been for him, Susane would have spent the night in the taxi. The next day, after her visit to assess a garbage-recycling project, she made her way back to the airport – only to discover that the honey convention had ended that day. There was no spare seat on any flight heading to Rio. To get home, she had to stopover in five different cities.

A life in transit is a small price to pay for the opportunity to get to know the many aspects and peoples that make up Brazil. They say that Brazil is many countries. The exploratory journeys prompted Leona to compare Susane to a pioneer, discovering new places across the country. Susane sometimes called herself "the last optimist in Brazil" because she always comes back from her trips completely enamored with what she's seen. She's had surprising encounters on her travels, like the time in 2006 when she encountered the members of the Sindicato dos Trabalhadores do Serviço Público, the public service workers union of Gentio do Ouro, Bahia. The Union ran a community radio station that had launched "Cidadania Ativa," a project encouraging citizens to monitor the mayor's public spending. The aim of the project was to encourage the community to have a say in the town hall's public policies.

"I was really impressed because they had this incredible organization in the middle of nowhere," Susane remembers.

Mas ela penou até chegar a esse "meio do nada" e avaliar o projeto. Junto com uma analista, Verônica Paiva, alugou um carro para percorrer as dez horas de viagem a partir de Salvador. Após algum tempo, alcançaram Xique-Xique, último ponto antes de Gentio. Cruzaram caminhos que algum dia receberam asfalto da pior qualidade e agora exibiam mais buraco que estrada. O carro ziguezagueava sem que chegassem, até que um pneu, diante do abuso, furou. Verônica tranquilizou a colega, dizendo que sabia trocar. Não conseguiu. Elas olharam em volta e não havia vivalma. Só restava esperar. Tempos depois, apareceu um pequeno caminhão velho repleto de homens. "Será que vão nos ajudar ou nos assaltar?", perguntou-se Susane.

Eram trabalhadores, que após trocarem o pneu avisaram que Gentio do Ouro tinha ficado para trás. Nem adiantava seguir em frente, porque a estrada em que estavam desembocava num rio. O jeito era dar meia-volta.

– A entrada para Gentio fica na pontinha da estrada. A marquinha é muito escondida – advertiu um deles.

Verônica alertou a colega:

– Esqueci que nós tínhamos que ter botado gasolina em Xique-Xique. Está no fim.

Retornaram, torcendo para não acabar o combustível, e, algum tempo depois, viram que o homem tinha razão. A sinalização para Gentio se resumia a uma pequena placa de madeira do lado esquerdo do caminho. Por isso não tinham reparado. O aviso indicava uma descida de terra. Assim que entraram no vilarejo, o carro parou. Perguntaram à primeira pessoa onde havia posto de gasolina:

– Dona, aqui não tem posto nenhum.

– E como vocês fazem para comprar combustível?

– Ah, seu Zé tem.

But she suffered a fair bit before reaching that "middle of nowhere" to evaluate the project. Along with an analyst, Verônica Paiva, she rented a car to cover the ten-hour journey from Salvador. After some time on the road they reached Xique-Xique, the last stop before Gentio.

The road had once been paved with the poorest quality tarmac and was now more potholes than it was road. The car zigzagged from side to side but their destination was nowhere in sight, until – in the face of such sustained abuse – one of the tires burst. Verônica told her colleague not to worry – she knew how to swap a car tire. She wasn't able to. They looked around but couldn't see a soul. All that was left to do was wait. A long time passed before a small truck full of men appeared. "Are they going to help us or rob us?" Susane remembers asking herself.

They were laborers – after helping the women swap the car tire, they informed them that Gentio de Ouro was several miles back. And there was no point carrying on any further, because the road they were on led into a river. They would have to do a one-eighty.

"The turn to Gentio is right on the edge of the road. The signs are very hidden," they were warned.

Verônica turned to her colleague:

"I forgot that we should have filled up the gas tank in Xique-Xique. We're nearly empty."

They turned back, praying the gas would last and – some time later – saw that the men had been right. The signage to Gentio consisted of one small, wooden sign to the left of the path. That was why they hadn't noticed it the first time around. The plaque pointed them to an unpaved, downhill track. As soon as they entered the outskirts of the village, the car stalled. They asked the first person they saw the way to the gas station.

"There's no gas station here ma'am."

"And how do you buy fuel?"

"Oh, Mr Zé has fuel."

Seu Zé foi chamado, trouxe uma garrafa PET de Coca-Cola de dois litros e elas puderam chegar até a sede do Sindicato dos Trabalhadores do Serviço Público. No dia seguinte, se abasteceram de mais garrafas e voltaram a Salvador.

O esforço compensou e o projeto foi aprovado. Graças a ele, líderes comunitários foram capacitados para participar nos conselhos de administração pública. Um ano depois, eles ganharam outro projeto, "Formação popular jurídica em Gentio do Ouro", que tinha como objetivo a "capacitação de lideranças de movimentos sociais em noções de Direito para suprir a falta de advogados ligados às demandas da comunidade e aproximar os cidadãos locais dos mecanismos jurídicos existentes, assim preparando as lideranças para participar na governança local e no controle social de forma efetiva". Por conta do apoio da **Brazil**Foundation, o sindicato passou a prestar assessoria jurídica para a população.

As viagens só são possíveis graças ao apoio da TAM, que fornece gratuitamente as passagens aéreas. As visitas permitem observar o descompasso entre teoria e prática. Como quando a fundação recebeu, em 2008, um projeto de geração de renda que ficou entre os 50 semifinalistas. No papel, prometia. A ideia era formar jovens de uma cidade do interior da Bahia como mecânicos, já que ali todo mundo usava moto. Susane foi recepcionada por uma mulher e um rapaz, e pediu para ver onde ficaria a oficina. Estranhou quando começaram a subir um morro no meio do mato. "E quem estiver com a moto quebrada vai ter que carregá-la nas costas até o alto?", indagou-se. Lá em cima, havia uma construção vazia. Ela fez algumas perguntas e ouviu do jovem:

– Mas a senhora não é do Ministério da Educação? Acho que errei de projeto.

They sent for Mr Zé and he arrived with a two-litre plastic Coke bottle, which was enough to get them to the headquarters of the Sindicato dos Trabalhadores do Serviço Público. The next day, they stocked up on more bottles and headed back to Salvador.

The effort was worthwhile – the project was approved. And thanks to it, community leaders were given the skills to participate on the boards of public entities and their demands were successfully met. A year later, they received funding for another project – "Formação Popular Jurídica em Gentio do Ouro" – whose aim was to "train the leadership of civic society movements in legal concepts to make up for the lack of lawyers attending to community needs, and to bring citizens closer to the existing legal mechanisms, thus enabling community leaders to take part in local governance in an effective manner." Thanks to the support it received from **Brazil**Foundation, the union began to offer legal advice to the general public.

Site visits are made possible thanks to the support of TAM airlines, which donates flights to **Brazil**Foundation. The trips allow the team to pick up on discrepancies between theory and practice. One example is an incident in 2008 when **Brazil**Foundation received a proposal for an income-generation project that was chosen as one of the fifty semifinalists. On paper, it looked promising. The idea was to train young people from a city in the state of Bahia as mechanics, given that everybody in the area rode motorbikes. When she visited, a young woman and man greeted Susane, and she asked them to show her the workshop space. She found it strange when her hosts began leading her up a hill in the middle of an empty wooded lot. "Will people have to hoist their broken motorbikes up this hill on their backs?" she wondered to herself. At the top, there was an abandoned building. She asked some routine questions, and eventually the young man said:

Em 2009, ela foi a São Paulo observar um projeto de contraturno escolar. Esteve na organização que promovia os trabalhos, viu vídeos e pediu ao gestor para conhecer a escola, que ficava na periferia. Ao chegar ao colégio, o homem foi informado pela diretora:

– Tenho uma ótima notícia para te dar. Nossa escola foi promovida para ter currículo o dia inteiro.

Com isso, o projeto perdia o sentido, já que não haveria horário para outras atividades. O gestor não tinha essa informação. Seu grande erro era não ter contato nenhum com a diretora.

Com as visitas é possível ainda verificar se há apoio da comunidade ao projeto, conhecer a legitimidade da organização, conferir sua capacidade de levar adiante o trabalho e checar as limitações e os riscos de cada proposta. Certa vez uma analista da **Brazil**Foundation foi ver uma escola em que eram desenvolvidas atividades extracurriculares. Quando a gestora do projeto se afastou, ela aproveitou para conversar com uma funcionária e ouviu:

– É horrível trabalhar aqui, não fazem nada do que dizem.

Há outro elemento que pesa na escolha: o feeling. O instinto, às vezes, leva um analista a pensar: "Está tudo certinho, mas não sei. Não dá." Ou, ao contrário, faz com que tudo esteja meio confuso, mas ele diga: "Essa gente merece."

"Hang on, are you not from the Ministry of Education? This is all a mistake! I am showing you the wrong proposal."

In 2009, she traveled to São Paulo to evaluate a project offering afterschool activities. Children at the target school only had half a day of lessons each day. The project looked to extend their time in a learning environment. She visited the organization that ran the project, watched videos about the organization and asked the project manager if they could pay a visit to the school, which was on the poorer outskirts of town. When they arrived at the school, the project manager heard from the school principal:

"I have some great news. We are prepared to offer a full day curriculum next year."

The project became irrelevant – there wouldn't be time in the schedule for extracurricular activities. The project manager hadn't known. It had been a long time since they'd communicated.

The site visits also allow **Brazil**Foundation's analysts to check whether the project has support from the local community, to verify the legitimacy of the organization, to assess its ability to implement the work, and to check the limitations and risks of each proposal. On one occasion a **Brazil**Foundation analyst paid a visit to a school that ran extracurricular activities. When the project manager stepped aside for a few moments, she took the opportunity to speak to an employee, who said:

"It's horrible working here – they don't actually do any of the things they say they do."

Foi o caso do Coletivo Ação Juvenil de Tucano (COAJ), no semiárido baiano. Susane esteve lá na época de São João e foi recepcionada numa espécie de garagem por dois rapazes de 18 anos, que disseram: "A gente não tem sede. Uma organização nos emprestou este espaço." Susane ouviu queixas sobre as despesas do prefeito. "Ele gastou mais de R$ 100 mil enfeitando a cidade para a festa e não vai sobrar nada para a gente. Os jovens daqui não têm campo de futebol, não têm lugar para se reunir. Não queremos mais isso, queremos que pensem na gente." A organização acabou apoiada e é motivo de orgulho da BrazilFoundation até hoje. Esses jovens, filhos de assentados, não estão na universidade, mas se organizaram e criaram uma rede de mais de mil rapazes e moças que controla o orçamento para defender seus direitos em vários municípios do interior do estado.

Mas tem hora em que nem as visitas, a capacitação, o monitoramento e o instinto dos analistas permitem a continuidade da proposta. Como em 2003, com um projeto que propunha oficinas de dança clássica para meninas da periferia. Houve até uma discussão interna sobre a relevância do trabalho, mas venceu quem questionou: "E por que não? Uma menina pobre não pode almejar ser bailarina?" Apesar do prêmio incentivo, ele não conseguiu se manter. Outro caso de interrupção ocorreu em 2007, com um projeto liderado por um gestor com pós-graduação, em que pequenos agricultores se associavam em reuniões mensais, trocavam conhecimentos e reaplicavam o que aprendiam.

There's another factor that comes into what projects are selected – gut feeling. Instinct can sometimes lead an analyst to, "It all looks good, but I don't think it's going to work out." Or, in other cases, a project can outwardly be a bit of a mess, but an analyst might perceive that "these people deserve a shot."

Which was exactly what happened with the Coletivo Ação Juvenil de Tucano - COAJ, in the semiarid region of Bahia. Susane visited the youth action collective of Tucano during the annual festival of São João and was welcomed by two 18-year-old boys, who said, "we don't have an office. Another organization lent us this space." Susane listened as they complained about the mayor's spending decisions: "He spent over R$100,000 decorating the city for the festival and there won't be anything left for us. Young people here don't have a soccer field or a place to meet. We are fed up with being ignored – we just want to be heard." This project gained support and continues to be a source of BrazilFoundation pride to this day. These young men, whose parents were originally peasants with no rights nor land, aren't at university, but they belong to a network of over one thousand boys and girls who monitor public spending to defend their rights in various municipalities across the state.

But there are times when – regardless of site visits, training, monitoring or instinct – it becomes impossible to carry on supporting a proposal. One such situation took place in 2003, with a project that proposed classical dance lessons for young girls from disadvantaged backgrounds. There was even an internal discussion about whether the project was relevant, but eventually the question "why not? Is a poor girl not allowed to aspire to be a ballerina?" won out. But, despite the incentive grant, the project couldn't stay afloat.

" Ele gastou mais de R$ 100 mil enfeitando a cidade para a festa e não vai sobrar nada para a gente. Os jovens daqui não têm campo de futebol, não têm lugar para se reunir. Não queremos mais isso, queremos que pensem na gente.

He spent over R$100,000 decorating the city for the festival and there won't be anything left over for us. Young people here don't have a soccer field or even anywhere to meet. We are fed up with being ignored – we just want to be heard.

O perfil dos participantes impressionava: até filosofia chinesa havia sido discutida na reunião de apresentação. Parecia estar tudo tranquilo. O projeto não daria dor de cabeça e atingiria os resultados propostos. Só que o gestor largou o trabalho no meio, a prestação de contas foi enviada somente um ano depois e havia incongruências entre o que estava previsto e o que foi gasto.

Em 2009, foi a vez de um projeto de agricultura indígena sustentável ser cancelado. A ideia era implementar uma lavoura orgânica, mas houve briga do gestor com os índios, que o denunciaram ao Ministério Público. A prestação de contas também não era confiável, assim como as notas fiscais apresentadas. Em outro caso, o projeto foi concluído em 2007, mas sem atingir a meta proposta. O plano era estimular moradores de uma favela, em especial aqueles com problemas de saúde como diabetes e hipertensão, a consumir os alimentos produzidos numa horta comunitária. Mas a comunidade não se mobilizou o suficiente e a horta foi abandonada. As duas gestoras brigaram e uma se afastou. Para complicar, sua saída só foi comunicada à BrazilFoundation com dois meses de atraso.

– Nesse universo de pequenas organizações, não existem certezas. Na maior parte das vezes, as intenções são boas, só que são muitos os fatores que têm que ser avaliados. Cada projeto que não consegue chegar ao fim é duro, até porque você pensa: "Tinham tantos. Se eu tivesse dado esse mesmo apoio para outro o resultado poderia ter sido melhor." Mas, se não arriscarmos, como eles podem tentar dar um passo à frente? E acho que sempre fica alguma coisa de bom, mesmo quando não dá tão certo – diz Susane.

Apesar dos riscos, os casos de insucesso não atingem 10%.

Another case of a project losing its support happened in 2007. The program was run by a manager with a postgraduate degree who brought small farmers together in monthly meetings where they could share best practices and go on to apply what they had learnt. The participants sounded impressive, too – in their first meeting, they'd discussed topics as far-ranging as Chinese philosophy. All appeared to be going well. The project would run smoothly and achieve what it set out to do. But the manager abandoned the work halfway through, the financial report was a year delayed, and there were incongruities between predicted budget and actual spending.

In 2009, a sustainable indigenous agricultural project had to be cancelled. The idea was to implement an organic farm, but there was an argument between the project manager and the indigenous people, who reported him to the Office of the District Attorney. The end-of-year accounts were unreliable, as were the receipts.

In yet another case, the project in question reached its projected conclusion in 2007, but without having achieved its goals. The plan was to encourage residents in a favela – in particular those with health problems such as diabetes and hypertension – to eat food grown in a community allotment. But the community didn't mobilize around the project and the allotment was abandoned. The two project managers had an argument and one of them stepped away from the project. To complicate matters further, BrazilFoundation was only informed of her departure two months after it happened. Susane considers:

"Dealing with small organizations like these means there are no certainties. Intentions are nearly always good, but there are many factors that need to be considered. For every project that fails along the way, you think: "There were so many projects. If I'd given that same support to another the results could have been better." But, if we don't take a chance on them, how can they take that first step? And I think there's always something good to come out of any project, even the ones that don't work out."

Despite the risks BrazilFoundation takes, the proportion of projects that fail is still under 10 percent.

16

A seleção dos projetos
Um processo árduo e democrático

Choosing the projects
An arduous and democratic process

A **Brazil**Foundation lançou seu primeiro edital público em 2002, pelo site www. BrazilFoundation.org, como acontece até hoje. Desde o começo ficou estabelecido que os projetos se dividiriam em cinco grandes áreas (educação, cidadania, direitos humanos, cultura e saúde), para que a fundação não se especializasse num único público-alvo, como a maioria das financiadoras. Esse critério recebeu críticas quanto à dispersão de recursos. Ao espalhar tanto a verba, a fundação não teria impacto em nenhuma área. Só que a decisão atendia ao objetivo principal, que era apoiar transformações e melhorias nas comunidades e nas pessoas contempladas pelos projetos. Além disso, essa abertura deu uma visão invejável dos diferentes contextos e desafios da realidade brasileira, permitindo conhecer os problemas, as prioridades e as soluções desenvolvidas localmente. Outros critérios definidos desde o início como característicos dos projetos foram a inovação, o apoio da comunidade e o potencial de influenciar políticas públicas.

BrazilFoundation launched its first open call for proposals 2002 through the institutional website – as it continues to do to this day. From the outset, it was decided that projects should fall under five main categories: education, human rights, culture, health and participatory development (understood as citizen's rights), so that no one field would be targeted, as is the case with most funders. This way of doing things was criticized by some who believed that spreading the funds out widely can lessen the impact the money could have in any one area. But this approach reflects **Brazil**Foundation's principle aim, which is to support transformation and improvement in the communities and among the individuals impacted by their projects. The more open approach has provided an enviable perspective on the different contexts and challenges of Brazilian reality, bringing greater understanding about problems, priorities and solutions at a local level.

BrazilFoundation defined other important selection criteria from the start: innovative solutions, support from the community, and long-term impact.

O processo de seleção compreende algumas etapas. Quase todo ano, a primeira triagem elimina cerca de 30% dos inscritos. São os que chegam fora do prazo ou não obedecem aos requisitos básicos, como não ter CNPJ ou estatuto, não enviar CD e material impresso e ter conotação política ou religiosa. Esse grupo é classificado como FC, ou seja, fora dos critérios. Se não são capazes de atender o mínimo, é sinal de que não têm condições de fazer aquilo a que se propõem.

Essa peneira inicial classifica os projetos numa das áreas. Em seguida, eles são distribuídos pelos analistas – em média cinco –, que têm cerca de um mês e meio para fazer a leitura e a pré-seleção. Eles levam em conta critérios como qualidade, coerência e solução apresentada. É marcada então uma reunião em que defendem suas escolhas. Os demais interferem comentando, por exemplo, que determinada organização não vale a pena ou que aquele projeto merece porque é importante e dificilmente conseguirá outro apoio. Um analista diz: "Esse projeto está muito mal escrito, mas tem qualidades." Outro completa: "Já esse aqui está bem escrito, mas tem problemas."

Carla Lima, analista de informação e pesquisa, é testemunha desses saudáveis embates anuais:

– É muito desgastante, mas é bem legal. Você tem a oportunidade de defender propostas em que acredita, com a humildade de saber que o que está em disputa não é uma vitória sua e sim o valor do projeto, as necessidades das organizações e o foco da **Brazil**Foundation.

The selection process comprises several stages. Nearly every year, the initial triage eliminates around 30 percent of the proposals. These are the ones that arrive after the deadline, or don't meet the basic criteria – like having a CNPJ (Cadastro Nacional de Pessoa Jurídica – Brazil's equivalent of a company tax id number) or a charter; not sending the application in the right format; or having religious or political overtones. These applications are classed as OC – outside the criteria. If they can't meet these basic requirements, it's a sign that they won't have the capacity to carry out the project they're proposing.

The first stage – sorting – classifies each proposal into one of the five areas. Next, the projects are shared out amongst the analysts (normally five of them) who have approximately a month and a half to read the proposals and make an initial selection. They bear in mind criteria such as quality, consistency and the solutions being proposed. A meeting is then scheduled in which each analyst defends his or her choices. The rest of the panel contribute their thoughts, pointing out, for example, that a certain organization isn't worth pursuing, or that another project deserves support because the work is important and it's unlikely to get funding elsewhere. One analyst might say, "this proposal is terribly written, but it has some very good points." Another counteracts with, "this one is well written, but has problems."

Carla Lima, information and research analyst, has witnessed several of these healthy annual debates:

It's exhausting, but it's great. You get the chance to defend projects you believe in, with humility, since what's at stake is not your own personal victory, but the value of the project, the needs of the organizations and the focus of **Brazil**Foundation.

– É um processo árduo – concorda Susane. – Os debates são acalorados, com cada analista defendendo seus favoritos. Fazemos contas para tentar esticar o dinheiro e incluir mais um, fica a dor no coração de ter que cortar alguns que gostaríamos de apoiar, mas a verba não dá.

Após as apresentações, eles votam. Os analistas dizem "sim", "não" e "talvez" para cada projeto e daí sai um ranking. Os 50 semifinalistas são vistoriados pessoalmente. Mais tarde, os analistas reúnem-se novamente, dão seus pareceres e votam mais uma vez, agora para a definição final de quem vai receber o apoio técnico e financeiro – em média metade do total visitado, ou seja, 25.

Naquele primeiro ano de seleção o número foi bem menor. Com apenas 73 candidatos inscritos, um grupo de quatro analistas contratado por Susane e com supervisão de Monica de Roure, ex-diretora da Ashoka, recomendou dez semifinalistas. Com os 30 mil dólares arrecadados pela fundação no ano anterior, a ideia era tirar daí três finalistas. Mas a taxa de câmbio favorável ao dólar e a persistência de um rapaz de 19 anos provocaram a inclusão de um quarto projeto. Edson Carneiro, morador de Nova Iguaçu, presidente de uma associação comunitária, bateu à porta da BrazilFoundation para dizer que em seu bairro, Três Corações, não havia coleta de lixo. E falou que queria formar duas ou três pessoas desempregadas em coletores, que seriam pagos pela comunidade. Articulado, o estudante de Ciências Sociais convenceu a todos com o seu "Gari comunitário: resgatando a dignidade com uma comunidade mais limpa" e recebeu metade da verba, R$ 5 mil, destinada aos outros três projetos apoiados, o "Carpe diem: mudando o futuro de pequenos cidadãos com a ajuda da arte-educação", do Instituto de Incentivo à Criança e ao Adolescente (ICA) de Mogi Mirim, em São Paulo; o "Promotoras legais populares:

"It's an arduous process," agrees Susane. "The debates get heated, with each analyst defending their favorite ideas. We check our finances and try to stretch the money to squeeze in one more project – it's heartbreaking having to cut certain projects we'd like to support, but the funds only go so far."

Analysts present their chosen projects, and then they vote "yes," "no" and "maybe" and a ranking is compiled. The nearly fifty semifinalists receive site visits. Later, the analysts will meet again, share their impressions, and vote one last time – this time to decide on the final selection of projects that will receive technical and financial support. Generally half of the projects visited – twenty-five – are selected for funding.

In that first selection year, the total number was far smaller. With only seventy-three applications, a group of four analysts hired by Susane and supervised by Monica de Roure, ex-Director of Ashoka, recommended ten semifinalists. The plan was to divide the R$30,000 raised in the previous year between three finalists. But a favorable dollar exchange rate, and the persistence of a nineteen-year-old boy, led to the inclusion of a fourth project.

Edson Carneiro, resident of Nova Iguaçu, was the president of a community association who knocked on BrazilFoundation's door to let them know that in his neighborhood – Três Corações – there was no garbage collection. And he explained that he wanted to train two or three unemployed people as trash collectors, to be paid by the community. Articulate and persuasive, the young social sciences major convinced all the analysts with his project, "Gari Comunitário: Resgatando a Dignidade com uma Comunidade Mais Limpa," to train and employ a community street sweep: recovering dignity through a cleaner community.

"Articulado, o estudante de Ciências Sociais convenceu a todos com o seu "Gari comunitário: resgatando a dignidade com uma comunidade mais limpa" e recebeu metade da verba."

"Articulate and persuasive, the young social sciences major convinced all the analysts with his project, "Gari Comunitário: Resgatando a Dignidade com uma Comunidade Mais Limpa," to train and employ a community street sweep: recovering dignity through a cleaner community."

promovendo justiça e transformando a vida de mulheres em exclusão", do Geledés, o Instituto da Mulher Negra, também de São Paulo; e o "Programa de Educação Afetivo-Sexual (PEAS): educando adolescentes na Bahia sobre saúde e sexualidade", da Associação dos Municípios do Baixo Sul da Bahia (Amubs). Graças a Edson, surgia, sem ser programado, o Prêmio Incentivo. Desde então, ele é conferido a projetos menores, de risco, tocados por gente que está começando. A aposta em iniciativas novas está, portanto, na origem da **Brazil**Foundation.

No segundo edital, que surpreendeu a todos ao registrar a inscrição de 895 projetos, surgiram candidatos até de Fernando de Noronha. "Ao disponibilizar um formulário simples, sem muita burocracia, a fundação passou a atrair pequenas organizações que não conseguiam preencher todos os requisitos de grandes instituições financiadoras", escreve a historiadora Márcia de Paiva em "Memória **Brazil**Foundation". Era um nicho até então inexplorado. A diversidade regional dos inscritos mostrou que havia espaço para uma instituição interessada em apoiar projetos de fora do eixo Rio-São Paulo e dos grandes centros, como Belo Horizonte e Porto Alegre – e que, mesmo quando presente nas capitais, privilegiava as periferias. Projetos que vinham de localidades que recebiam pouca atenção oficial e que viviam longe do radar da imprensa e à margem de investimentos privados.

The project received $5,000 – half of what was granted to each of the other projects supported that year: "Carpe Diem: Mudando o Futuro de Pequenos Cidadãos com a Ajuda da Arte-Educação," the art-education program for youth created by ICA in Mogi Mirim, São Paulo; "Promotoras Legais Populares: Promovendo Justiça e Transformando a Vida de Mulheres em Exclusão," creating public defenders: promoting justice and transforming the lives of marginalized women, which was run out of Geledés Instituto da Mulher Negra, also in São Paulo; and the "Programa de Educação Afetivo-Sexual: Educando Adolescentes na Bahia sobre Saúde e Sexualidade"- PEAS, a sex-education program for adolescents in Bahia run by the Associação dos Municípios do Baixo Sul da Bahia - AMUBS, an association of the municipalities of Bahia's Southern Lowlands.

Thanks to Edson, **Brazil**Foundation's Incentive Award was born. Ever since, the Incentive Award has been given to smaller projects when there is greater risk involved, such as leadership by people who are just starting out. Supporting new initiatives thus, has been a part of **Brazil**Foundation's way of working since the very beginning.

The following year, response to the second call for proposals took everybody by surprise – **Brazil**Foundation received 895 applications, with projects coming in from places as far-flung as the tiny island of Fernando de Noronha. "By putting out a simple application form, without much bureaucracy, **Brazil**Foundation began to attract small organizations that wouldn't ordinarily be able to meet all the requirements stipulated by large donor institutions," writes Márcia de Paiva in Memória **Brazil**Foundation. It was an unexplored niche until that point.

Nesse ano de 2003, o vaivém dos carteiros no escritório da fundação no Rio era constante. Eles vinham carregados de envelopes e despejavam a montanha de papel na mesa, que logo ficou pequena. Em seguida foi o chão que se viu tomado pelo material. O volume de projetos fez com que fosse preciso contratar uma nova funcionária, Sheila Nogueira, primeira gerente de programa da fundação. Ela norteou os processos iniciais de seleção e monitoramento da BrazilFoundation. A partir daí, o processo seletivo tomou outro vulto. Se no primeiro ano ele contou com o auxílio de consultores externos, agora foi preciso montar uma equipe interna. Na primeira triagem, o grupo separou 40 dos 895 projetos. Susane e os outros três analistas visitaram os semifinalistas, até chegarem ao número final de 17 contemplados. Em 2004, o número subia novamente, passando para 1.078 projetos, dos quais foram selecionados 25.

Nesses primeiros anos, os projetos vinham manuscritos, com falhas de informação. Eram tempos de comunicação difícil, em que muitas vezes o único meio de contato da cidade com o exterior resumia-se ao orelhão na praça principal ou ao telefone da prefeitura.

– Tínhamos que marcar hora. Eles telefonavam a cobrar, a ligação caía, ou você não ouvia direito. O advento do celular mudou tudo. Às vezes não pega, mas bem ou mal tem jeito de falar – diz Susane.

Os computadores também eram raros, e a internet, uma realidade distante. Até hoje nem todas as organizações têm acesso à rede. Mas, quando não possuem computador, a fundação insiste para que incluam um no orçamento. Uma vez, Susane foi conhecer o projeto da lavradora Eurly Maria de Souza Pinto, em Lagoa da Boa Vista, pequena comunidade no município de Seabra, a cerca de 700 quilômetros de Salvador, na Bahia, e ouviu da gestora:

The regional diversity of the applications showed there was a need for an interested institution to support projects that fell outside the major urban hubs of Rio de Janeiro, São Paulo, Belo Horizonte and Porto Alegre, and that addressed the needs of marginalized communities. These projects came from places that were outside the radar of the media and private investments, and received little official attention.

In that year – 2003 – the coming and going of postmen in the Rio office was nearly constant. They arrived laden down with envelopes, toppling over the mountain of paper already overwhelming the table, which quickly became too small. Soon the floor was taken over by paperwork. The volume of projects made it necessary to hire a new employee. Sheila Nogueira became the first BrazilFoundation program manager. She guided the initial processes of selection and monitoring. From there, the selection process took on another shape and import. If, in the first year, the process counted on the support of external consultants, now it was time to form an internal team. In the first screening selection, the group separated out forty of the 895 projects. Susane and the other three analysts visited the semifinalists, until they whittled the number down to the final seventeen to be funded. In 2004 the numbers would go up once again – 1,078 applications, of which twenty-five were selected.

In those first years, some of the applications arrived handwritten, or with plenty of gaps in information. Communication was harder in those days, when often the only means of contact a town might have with the outside world was the public pay phone in the main square, or the telephone in the town hall. Susane says:

– Vou mostrar o que a gente já conseguiu – disse ela, orgulhosa.

E levou Susane para uma sala com 20 computadores, doados pela Secretaria de Educação de Seabra. Ao ser perguntada sobre quem ensinava o grupo a mexer com os equipamentos, Eurly respondeu:

– Por enquanto ninguém pode fazer nada. As máquinas já estão instaladas há dois meses, mas estamos esperando uma tal de senha para poder usar.

Filha de uma mulher que havia ficado cega trabalhando na roça, Eurly nunca se deixou abater pelas adversidades. Ela é uma pequena empreendedora, ainda que não soubesse o que a palavra queria dizer. Presidente da Associação de Desenvolvimento Agrícola e Comunitário (ADAC) de Lagoa da Boa Vista, ela olhava as moradoras indo para a lavoura carregando as crianças no cesto e determinou:

We had to schedule a time. They would call us collect. The call would drop, or the line would be terrible. With the advent of cell phones, everything has changed. Sometimes we can't get through, but one way or another there's always a way to talk.

Computers were also rare, and the Internet was a distant reality. Even today, there are still organizations without access to the net. But when they don't have a computer, BrazilFoundation insists they include one in their budget. One time, Susane went to visit a project run by the rural laborer Eurly Maria de Souza Pinto, in Lagoa da Boa Vista – a small community in the municipality of Seabra, around 700 kilometers away from Salvador, Bahia. When she arrived, Eurly said, proudly:

"I'm going to show you what we've already managed to get hold of."

And she took Susane to a room with twenty computers, donated by the Seabra Secretariat for Public Education. When asked who was teaching the group to use the computers, Eurly replied:

"For the time being none of us can do anything. The machines have been installed for two months, but we're waiting for some sort of password to be able to use them."

"Ao ser perguntada sobre quem ensinava o grupo a mexer com os equipamentos, Eurly respondeu:
– Por enquanto ninguém pode fazer nada. As máquinas já estão instaladas há dois meses, mas estamos esperando uma tal de senha para poder usar."

"For the time being none of us can do anything. The machines have been installed for two months, but we're waiting for some sort of password to be able to use them."

*"Em sua avaliação dos dez anos da **Brazil**Foundation, Caio Silveira e Ricardo Mello fazem uma curiosa observação sobre essa transformação operada na vida de meninos e meninas de Lagoa da Boa Vista: "Eis mais um indicador (a felicidade) a ser considerado..."*
É um fator não mensurável, mas facilmente observado na prática (---) pelas mudanças comportamentais, corporais e de expressão no público beneficiado pelos projetos apoiados."

"Here we see one more indicator [– happiness –] to be taken into consideration..."
*It's not a measurable factor, but it's easily observed by those who are in direct contact with the communities – they see it in the changes in behaviors, physical movement and expression of the public benefiting from the **Brazil**Foundation supported projects.*

– Vai ter mãe que vai para a roça e vai ter mãe que vai tomar conta de criança.

Conseguiu alimentação e dinheiro com a própria comunidade e criou uma creche em 2001. Ela se inquietava também com as poucas opções de lazer para os jovens do município. Ociosos, passavam o dia no bar. Montou um pequeno projeto de dança, mas o repertório se limitava a uma única coreografia típica.

– Ninguém aguenta mais ensaiar, dançar e ver essa mesma coreografia – lamentava ela.

Seu sonho era contratar uma professora para variar os passos. Conseguiu seu objetivo ao conquistar em 2007 um prêmio incentivo de R$ 12,5 mil da BrazilFoundation, com o projeto "Arte na roça". Ao começar as oficinas de capacitação, ela perguntou: "O que é sistematização? O que é metodologia?" No fim, saiu-se tão bem que, em 2008, ganhou outro apoio da fundação, ao projeto "Aproximando escola e comunidade", para atuar em parceria com cinco colégios públicos da região, com coordenadoria pedagógica de Vailma Medeiros.

The daughter of a woman who had gone blind working on the farm, Eurly was not one to be daunted by obstacles. She's a small entrepreneur, though – at the time – she didn't know the meaning of the word. As the President of the Associação de Desenvolvimento Agrícola e Comunitário de Lagoa de Boa Vista – ADAC, the agricultural and community development association of Lagoa de Boa Vista, she watched local women on their way to the fields with their babies in baskets, and decided:

"There will be mothers who go to the field and mothers who look after the children."

She collected food and money within the community and created a child daycare center in 2001. She also worried about the few leisure options in the area for children and teenagers. With too much time on their hands, they would spend their days in the bar. She set up a small dance project, but the repertoire consisted of one traditional dance.

"Nobody could stand rehearsing, dancing or watching that routine any longer," she lamented.

Em seu trabalho, ela dá aulas de reforço, estimula o relacionamento entre pais e professores, publica jornais e revistas com produções dos alunos, organiza feiras de educação, promove encontros de formação para educadores e desenvolve atividades extracurriculares como teatro, dança, capoeira e futebol. O projeto resultou na melhoria do rendimento escolar dos alunos e transformou o colégio em um espaço de cultura e socialização. A ADAC foi reconhecida pela Secretaria Municipal de Educação, fez parceria com o HSBC e é a única na região que trabalha com educação além da escola. A organização fez uma avaliação interna em 2012 e descobriu que as crianças passaram a ir para o colégio com mais vontade e alegria e que houve aumento da autoestima com a redução do fracasso escolar.

– Com esse projeto é possível perceber que nossas crianças e adolescentes estão mais felizes – diz Eurly.

Em sua avaliação dos dez anos da BrazilFoundation, Caio Silveira e Ricardo Mello fazem uma curiosa observação sobre essa transformação operada na vida de meninos e meninas de Lagoa da Boa Vista: "Eis mais um indicador (a felicidade) a ser considerado..."

É um fator não mensurável, mas facilmente observado na prática por aqueles que estão em contato direto com as comunidades e que detectam mudanças comportamentais, corporais e de expressão no público beneficiado pelos projetos apoiados.

Her dream was to hire a teacher to show them some new steps. The dream became a reality when her project, "Arte na Roça," was selected for an Incentive Award worth R$12,500 from BrazilFoundation in 2007. In her first capacity-building workshop she would ask questions like "What does systematization mean? What about methodology?" In the end, she did so well that, in 2008, she was awarded a second grant for a project that partnered with five public schools in the region, overseen by Vailma Medeiros, called "Aproximando Escola e Comunidade," to create ties between the school and community. The project coordinates extra classes for students who need them, strengthens relationships between parents and teachers, publishes student-run newspapers and magazines, organizes school fairs, brings together teachers for training sessions and develops extracurricular activities such as theatre, dance, capoeira and soccer. The project resulted in an improvement in students' performance at school and transformed the participating schools into cultural and social hubs.

ADAC has since been recognized by the Municipal Secretariat for Education, has partnered with HSBC, and is the only organization in the region to work on education beyond the classroom. ADAC ran an internal audit in 2012 and found that since the start of the program the children involved felt more enthusiastic about going to school. It also found that children's self-esteem increased with their improved academic performance and reduced incidents of failure.

"It's clear that our children and teenagers are happier since the project was put in place," says Eurly.

In their evaluation of BrazilFoundation's first ten years, Caio Silveira and Ricardo Mello make an interesting observation about that transformation in the lives of the boys and girls from Lagoa da Boa Vista: "Here we see [happiness as] one more indicator to be taken into consideration . . ."

It's not a measurable factor, but it's easily observed by those who are in direct contact with the communities – they see it in the changes in behavior, physical movement and expressions of the public benefiting from BrazilFoundation-supported projects.

"– Vai ter mãe que vai para a roça e vai ter mãe que vai tomar conta de criança. Conseguiu alimentação e dinheiro com a própria comunidade e criou uma creche em 2001. Ela se inquietava também com as poucas opções de lazer para os jovens do município. Ociosos, passavam o dia no bar. Montou um pequeno projeto de dança, mas o repertório se limitava a uma única coreografia típica.

– Ninguém aguenta mais ensaiar, dançar e ver essa mesma coreografia – lamentava ela."

"There will be mothers who go to the field and mothers who look after the children."
She collected food and money within the community and created a crèche in 2001. She also worried about the few leisure options in the area for children and teenagers. With too much time on their hands, they would spend their days in the bar. She set up a small dance project, but the repertoire consisted of one traditional dance.

"Nobody could stand rehearsing, dancing or watching that routine any longer," she lamented.

"– Com esse projeto é possível perceber que nossas crianças e adolescentes estão mais felizes – diz Eurly."

"It's clear that our children and teenagers are happier since the project was put in place," says Eurly.

A onça e a preguiça

Certo dia a onça caminhando pela floresta, encontrou a preguiça que estava subindo em uma arvore, mais muito devagar.

A Dona onça que é muito curiosa perguntou:

— Dona preguiça quanto tempo você leva para chegar até lá em cima da arvore.

Então a preguiça respondeu:

— Vou demorar muito, pois só chego quando a galinha nascer dente

— A onça então respondeu:

Ô Dona preguiça a senhora não vai chegar nunca, pois a galinha não tem dente.

Moral da historia : A curiosidade mata o gato!

Sivanilda Teixeira

Para a pergunta
"Qual seu maior sonho?"
as crianças de Lagoa
da Boa Vista, Bahia,
responderam:

Ter um emprego

Trabalhar na roça

Ser vaqueiro

Ser motorista

Ser empregada doméstica para
ganhar dinheiro e comprar as coisas
que faltam em casa

Ser pedreiro

Consertar bicicleta

Lutador de box

Fazer comida

Ser babá

Ser pastor

Ser policial por que pega bandido

Ser um power ranger

Ter muitos brinquedos

Ser vendedor

Trabalhar com o meu pai

Andar a cavalo

Ser taxista

Ser professor

Ser mãe

Ser médico

Ser empresária

Andar de bicicleta

Catar café

Ser cantora

Trabalhar com
computador

Ter um skate

Praticar esporte de
motocross

Ter uma boneca bem
grandona

Ser batman

Ter um vestido novo

Conhecer meus dois irmãos
que moram em São Paulo

Fazer natação

Ser moça para cuidar das
coisas para minha mainha

Ser mecânico

Ser rico

Virar anjo

Ser dançarina

Ser advogada

Ser dentista

Ser jogador de futebol

Ser enfermeira

Ser feliz por que meu pai
só fica brigando com
minha mãe

Ter uma casa nova

Ser moto boy

Trabalhar muito

Ser bombeiro para apagar
os fogos

Ter um balão

To the question "What is your biggest dream?" the children of Lagoa da Boa Vista, Bahia, responded:

To have a job	To be a cab driver
To work in the field	To be a teacher
To raise cows	To be a mother
To be a driver	To be a doctor
To be a maid and earn enough to buy the things we lack at home	To be a business owner
	To ride a bike
To be a stone worker	To pick coffee
To fix bicycles	To be a singer
To be a boxer	To work with computers
To make food	To have a skateboard
To be a nanny	To do motocross
To be a preacher	To have a really big doll
To be a cop because they catch bad guys	To be Batman
	To have a new dress
To be a Power Ranger	To meet my two brothers who live in São Paulo
To have a lot of toys	
To be a vendor	To learn how to swim
To work with my father	To be a big girl so I can take care of things for my mommy
To ride a horse	

To be a mechanic

To be rich

To become an angel

To be a dancer

To be a lawyer

To be a dentist

To be a footballer

To be a nurse

To be happy because my father only fights with my mother

To have a new house

To be a delivery boy

To work a lot

To be a fireman to put out fires

To have a balloon

17

Hora de fazer o balanço

Time to take stock

Ao completar dez anos, a BrazilFoundation resolveu comemorar a data reavaliando sua história e a das organizações que apoia. O passo inicial foi direcionar seu edital de 2011 somente para as ONGs já beneficiadas anteriormente. Foram contactadas 188 delas e selecionadas 20 – não necessariamente as principais, mas as que melhor refletiam os resultados, traduziam a atuação da fundação, mostravam a filosofia de trabalho, ofereciam uma metodologia criativa ou uma tecnologia inovadora e davam um painel da diversidade temática e geográfica das instituições. Como parte do projeto "BrazilFoundation 10 anos", cada organização recebeu apoio para, durante um ano, desenvolver três eixos de ação, que também foram aplicados à própria fundação: recuperar sua história, sistematizar suas práticas e autoavaliar seus resultados.

A recuperação histórica resultou no documento "Memória BrazilFoundation", da historiadora Márcia de Paiva. A sistematização das práticas deu origem a "Investigacíon, accioón y sistematizacíon", do sociólogo mexicano Hector Berthier, que se disse admirado com a seleção "variada e muito rica de propostas e estratégias" e que explicou: "sistematizar pode envolver muitas coisas: coletar, organizar, classificar, lembrar, criar, apontar, rever, olhar e, acima de tudo, não se esquecer de todo o vasto conjunto de informações geradas nos diversos processos de desenvolvimento dos projetos sociais". E, por fim, a autoavaliação dos resultados redundou em "BrazilFoundation 10 anos – Avaliação", do sociólogo Caio Silveira e do economista Ricardo Mello.

On completing a decade, BrazilFoundation decided to celebrate by reevaluating history – its own and those of the organizations it supports. The initial step was to create a 2011 open-call for previous grantees. BrazilFoundation approached 188 grantee organizations and selected twenty – not necessarily the most successful ones but the ones best able to demonstrate the benefits BrazilFoundation brought to their organization. They are exemplary for their results, work philosophy, creative methodology, and innovative technology – and come to represent a panel that is diverse thematically as well as geographically. As part of this project, which was called BrazilFoundation 10 Anos, each organization received a year's support to develop three areas of activity. The directives were to reflect on the history of the institution, systematize its practices, and conduct a self-evaluation of its results. BrazilFoundation committed to doing the same.

This collective history found its way into "Memória BrazilFoundation," by historian Márcia de Paiva, and the systematization of practices gave origin to an article by Mexican sociologist Hector Berthier "Investigacíon, acción y sistematizacíon."Berthier admired BrazilFoundation's selections, which, he said, were "varied and rich in proposals and strategies." He also reasoned:

. . . to systematize can involve many things: to collect, organize, classify, remember, create, point out, see again, look, and above all, not forget the vast grouping of data generated through diverse processes of social project development.

Como parte do trabalho, foram recolhidos depoimentos por escrito e gravações em áudio e vídeo dos gestores dos projetos e da equipe da **Brazil**Foundation. Todos foram unânimes em reconhecer o valor da iniciativa. Para a fundação, foi uma rara oportunidade de registrar sua história; refletir sobre seu passado; sistematizar sua prática; entender seus desafios e oportunidades; avaliar seus resultados; mensurar seu papel junto às organizações parceiras; dar um retorno a doadores, a organizações e à sociedade em geral; gerar novas oportunidades, doações e parcerias; valorizar e divulgar a atuação das ONGs; e dar sua parcela de contribuição para o terceiro setor no país.

As organizações se surpreenderam com a quantidade de informações que levantaram sobre sua história e da sua comunidade, relembraram os altos e baixos de sua trajetória, descobriram como a memória ajuda a construir a identidade, perceberam o mérito de criar e manter um acervo e viram a força do planejamento, do trabalho em equipe, do respeito aos prazos de entrega e da transparência nas ações. O processo de autoconhecimento fez ainda com que vissem a importância de atentar para o marketing institucional e de adotar estratégias de divulgação, ampliando o impacto social e a visibilidade do trabalho. Ao revisitarem sua história, repensaram suas ações, checaram se estavam se distanciando de seu propósito, focaram em suas missões originais, estabeleceram metas e se organizaram melhor. Mas, como observou Hector, é preciso que incorporem aos projetos uma maior visão empresarial.

Finally, the self-evaluation resulted in a document by sociologist Caio Silveira and economist Ricardo Mello, called "**Brazil**Foundation 10 Anos – Avaliação."

As part of the work, interviews were conducted with the project leaders and the **Brazil**Foundation team (written, audio, and video). Participants unanimously recognized the value of the initiative. For **Brazil**Foundation, it was a rare opportunity to register its history, reflect on its past, systematize its practices, understand the challenges and opportunities it faced, evaluate its results, measure its role with partner organizations, give feedback to donors, organizations and society in general. It would also generate new opportunities, donations, and partnerships; promote and disseminate the work of NGOs; and, measure **Brazil**Foundation's overall contribution in the third sector in Brazil.

The organizations were surprised by the amount of information they were able to uncover about their history and their community. They remembered the highs and lows of their journey, discovered how memory helps to construct an identity, perceived the merit of creating and maintaining an archive, and witnessed the force of planning, teamwork, respect of deadlines, and the value of transparency in all actions.

This process of reflection helped them know themselves better. It made them conscious of institutional marketing and helped them to adopt dissemination tactics for their organizations, increasing the social impact and visibility of their work. In reviewing their history, rethinking their activities, checking to see if they had veered from their objectives, they focused on their original missions.

"Percebemos que devemos orientar mais esforços para nosso projeto institucional. Devemos investir mais tempo para avaliar os objetivos e planejar as metas da instituição e não apenas os dos projetos."

As ONGs saíram fortalecidas da experiência. Sebastian Gerlic, da associação indígena baiana Thydêwá, sintetiza bem o que representou esse resgate histórico:

– Percebemos que devemos orientar mais esforços para nosso projeto institucional. Devemos investir mais tempo para avaliar os objetivos e planejar as metas da instituição e não apenas os dos projetos. Vimos que 80% dos nossos esforços têm sido voltados para os projetos e só 20% para a instituição. O processo de fortalecimento institucional que estamos realizando com a provocação, o incentivo e o acompanhamento da BrazilFoundation redirecionou nosso olhar, que está para fora, para dentro de nós mesmos. Estamos lentamente reaprendendo e reorientando nossa forma de trabalhar.

"We perceived that we needed to orient more of our energy to our institutional base. We needed to invest more time to evaluate our institutional objectives and goals and not just those of the projects."

They established new goals, and thought of ways to become better organized. And, as Berthier observed, it behooves organizations to incorporate a larger entrepreneurial vision in their planning.

The NGOs were strengthened by the experience. Sebastian Gerlic, of Thydêwá, an NGO in Bahia working with indigenous populations, synthesized it well. He described what this journey through history represented:

We perceived that we needed to orient more of our energy to our institutional base. We needed to invest more time to evaluate our institutional objectives and goals and not just those of the projects. We saw that 80% of our efforts had been put towards the projects and only 20% toward the institution. Because of BrazilFoundation's provocation, incentive, and accompaniment, we are now working on strengthening our institutional core. BrazilFoundation redirected our outward gaze back at ourselves. We are slowly relearning and reorienting our work methods.

18

A força do voluntariado

The strength of volunteers

O escritório de Nova York tinha como base voluntários – jovens brasileiros, profissionais de sucesso em outras áreas, que colaboravam gratuitamente com a causa da BrazilFoundation. (14) Seu principal trabalho é captar fundos e disseminar informações sobre o terceiro setor. Entre as ações, estão a organização de festas e leilões, o contato com doadores e a promoção de palestras.

O escritório do Rio usa profissionais contratados, sendo poucos os voluntários que já passaram por lá. É o caso de Carla Neto, médica aposentada que durante quatro anos ajudou na análise dos projetos de saúde, e, principalmente, de Pedro Toledo. Ele é um exemplo de entrega que permite que a fundação, com pouco, consiga muito. Pedro trabalhou 34 anos em Furnas. Começou como engenheiro mecânico e se aposentou no dia 31 de dezembro de 2002. A primeira coisa que queria ao iniciar 2003 era não fazer nada, mas não conseguiu ficar parado. Ao decidir ser voluntário numa instituição social, achou a BrazilFoundation na internet. "É como um BNDES exclusivamente social", pensou. Telefonou, marcou entrevista e ouviu de Susane, em novembro de 2003, para ficar e ver no que podia ajudar.

E ele ajuda até hoje, apoiando o setor administrativo-financeiro. Criou a planilha de prestação de contas, participa das capacitações na área de gestão e fez o contrato da fundação com as instituições. Pedro trabalhou com a elite da indústria brasileira e imaginava que o setor social era muito teórico e pouco tecnológico. A primeira iniciativa de que participou foi uma apresentação dos projetos selecionados em 2004. Surpreendeu-se a tal ponto que disse:

– Puxa, eu não sabia que existia esse Brasil. Vendo eu acredito que é um país viável, basta darem chances de construí-lo.

The New York office has a base of volunteers made up of young Brazilian professionals, who collaborate for free because of their belief in BrazilFoundation. (14) Their principal focus is to fundraise and disseminate information about the third sector. Among their many activities, they organize parties and auctions, contact donors and promote the lecture series.

The Rio office hires professionals mostly, but some mention-worthy volunteers have also come through the office. One is Carla Neto, a retired physician, who was an analyst on the health projects for many years. She worked closely with Pedro Toledo whose dedication is an example of what takes BrazilFoundation so far on so little. Pedro Toledo worked for Furnas, one of the largest utility companies in Brazil, for 34 years and retired on December 31, 2002. He began at Furnas as a mechanical engineer. "The thing I most wanted when I retired in 2003 was to do nothing," he said. But he found he could not sit still. He decided to volunteer for a social institution, and found BrazilFoundation on the Internet. "It's like an exclusively social BNDES[the Brazilian development bank]," he thought. He phoned the office and had an interview. Susane suggested he hang around and see how he could help. This was in November 2003.

He is still helping today. Pedro gives support to the administrative-financial area of the office. He keeps a balance sheet, participates in training and management. He writes the contracts between BrazilFoundation and the NGOs and other institutions. Pedro had a career with Brazilian industry elite and always imagined that the social sector was heavy on theory and light on technology. In 2004, he attended a presentation of selected projects. He was so surprised he said: "Wow, I did not know this Brazil existed. Seeing them now, I believe it is a viable country, so long as we give them the chance to build it."

O retrato de um país original

Portrait of an original country

E a **Brazil**Foundation tem feito sua parte na construção desse país. Apesar do número elevado de projetos inscritos – em média 750 por ano – todos são lidos, examinados e cadastrados.

– Há um respeito a cada um. Eles não vão ficar amontoados numa pilha – diz Susane. – Já temos cerca de oito mil projetos na nossa base de dados. (15) É um retrato muito interessante do terceiro setor, mostra um país que, com a cara e a coragem, está enfrentando seus problemas por meio de soluções originais. (16)

E a criatividade muitas vezes começa nos próprios nomes dos projetos inscritos como "Reciclando papéis e vidas" (em 2004); "De volta para o meu aconchego" (em 2005, que beneficia meninos de rua); "Inteligência das mãos" (em 2005, que aumenta a renda de famílias afetadas por HIV por meio da capacitação em tecelagem manual); "Mulheres de corpo e alga" (em 2005, que capacita mulheres para produzirem produtos de beleza a à base de algas marinhas); "As mulheres negras têm história e as jovens negras estão aqui para contar" (em 2009); "Loucura suburbana" (em 2009, mantido pelo Centro Psiquiátrico Pedro II); e "Saci tererê" (em 2005, que atende crianças e adolescentes em situação de risco).

BrazilFoundation does its part to help construct a better country. Despite the large number of projects submitted – on average 750 per year – **Brazil**Foundation staff reads, examines, and records all of them in their extensive database. Susane says:

We respect each one of them. We don´t let them pile up. We already have approximately 8000 projects in our database (15) that draw a very interesting portrait of the third sector, depicting a country that, with a little spit and courage, faces down problems with original solutions. (16)

And the creativity comes across in the very names of registered projects, with titles such as De Volta Para o Meu Aconchego (2005, benefiting street children); or, Inteligência das Mãos (2005, increasing the income of families affected by HIV through training in weaving), Mulheres de Corpo e Algas (2005, training women to produce beauty products with a seaweed base); Reciclando Papéis e Vidas (2004); As Mulheres Negras Têm História e as Jovens Negras Estão Aqui Para Contar (2009, Black women telling their stories); Loucura Suburbana (2009, a project of the psychiatric hospital, Centro Psiquiátrico Pedro II) and Saci tererê (2005, serving at risk children and adolescents).

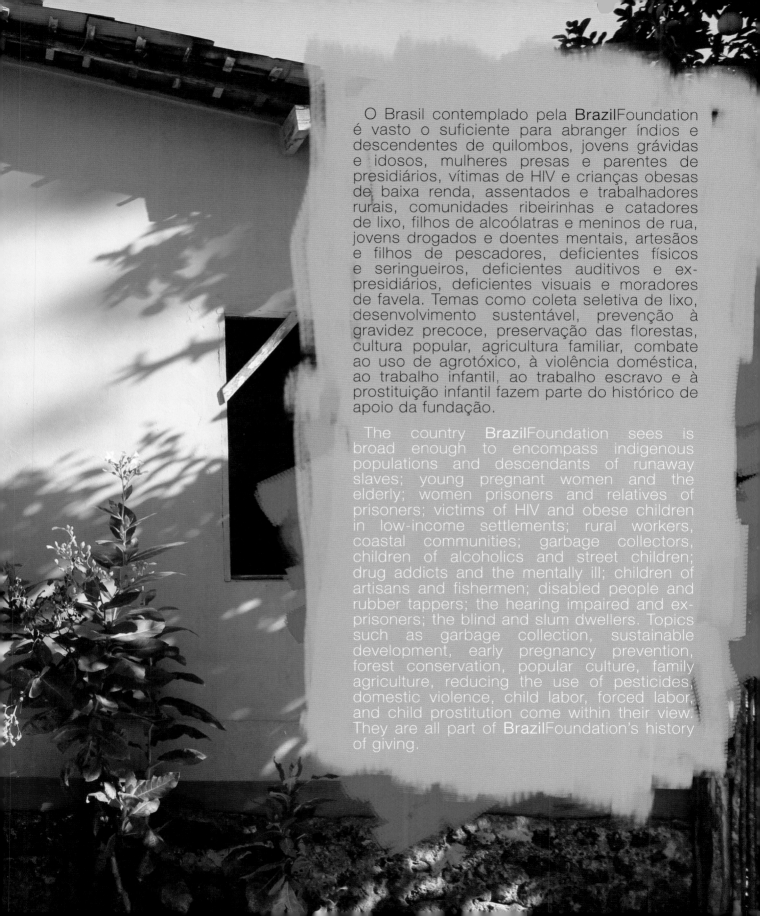

O Brasil contemplado pela **Brazil**Foundation é vasto o suficiente para abranger índios e descendentes de quilombos, jovens grávidas e idosos, mulheres presas e parentes de presidiários, vítimas de HIV e crianças obesas de baixa renda, assentados e trabalhadores rurais, comunidades ribeirinhas e catadores de lixo, filhos de alcoólatras e meninos de rua, jovens drogados e doentes mentais, artesãos e filhos de pescadores, deficientes físicos e seringueiros, deficientes auditivos e ex-presidiários, deficientes visuais e moradores de favela. Temas como coleta seletiva de lixo, desenvolvimento sustentável, prevenção à gravidez precoce, preservação das florestas, cultura popular, agricultura familiar, combate ao uso de agrotóxico, à violência doméstica, ao trabalho infantil, ao trabalho escravo e à prostituição infantil fazem parte do histórico de apoio da fundação.

The country **Brazil**Foundation sees is broad enough to encompass indigenous populations and descendants of runaway slaves; young pregnant women and the elderly; women prisoners and relatives of prisoners; victims of HIV and obese children in low-income settlements; rural workers, coastal communities; garbage collectors, children of alcoholics and street children; drug addicts and the mentally ill; children of artisans and fishermen; disabled people and rubber tappers; the hearing impaired and ex-prisoners; the blind and slum dwellers. Topics such as garbage collection, sustainable development, early pregnancy prevention, forest conservation, popular culture, family agriculture, reducing the use of pesticides, domestic violence, child labor, forced labor, and child prostitution come within their view. They are all part of **Brazil**Foundation's history of giving.

20

Transição

Transition

O ano de virada na história da **Brazil**Foundation foi 2010, graças ao Gala organizado em setembro por Nizan Guanaes no Metropolitan Museum of Art. Com ele foi possível equilibrar as finanças e até iniciar um fundo patrimonial. Um alívio, já que janeiro tinha começado cercado de incertezas. Leona avisou na reunião do conselho: "Não temos recursos para chegar até o fim de 2010." O aperto era natural. Como reflexo da crise econômica mundial de 2008, em 2009 se arrecadou menos do que o normal. Outro obstáculo afetava a situação financeira da instituição. É que, curiosamente, contribuiu para a redução das verbas o fato de que o Brasil sofreu menos com a crise que os Estados Unidos e a Europa.

— As fundações estrangeiras, que também perderam dinheiro de seus investimentos e fundos patrimoniais, acharam que o Brasil era considerado rico e que precisava de menos doações do que lugares como África e Caribe. Perdemos todas ao mesmo tempo – explica Patricia.

Mas o dinheiro que diminuiu era o institucional, que pagava aluguéis, salários e outras despesas. As doações arrecadadas nos eventos se mantiveram estáveis.

Não foi só "O novo Brasil" e "O novo Gala" que surgiram em 2010. Apareceu também "A nova **Brazil**Foundation". Leona comunicou ao board que havia chegado a hora de passar a liderança para pessoas mais novas. A escolha de Patricia para ocupar seu lugar como CEO surgiu naturalmente. Ela havia entrado como voluntária

A turning point in the history of **Brazil**Foundation came thanks to the September 2010 Gala, chaired by Nizan Guanaes, at the Metropolitan Museum of Art. The funds raised made it possible for **Brazil**Foundation to balance its finances and even start an Endowment Fund. This was a great relief since the year had begun with many uncertainties. At the board meeting in January, Leona warned: "We do not have the budget to get to the end of 2010." The financial stress was natural. Reflecting the global economic crisis of 2008, 2009 grossed less than normal. Another obstacle affected **Brazil**Foundation's financial situation. Curiously, the fact that Brazil did not suffer as much in the crisis as did the United States and Europe contributed to the reduced resources. Patricia explains:

Foreign foundations, which also lost money on their investments and endowments, thought Brazil was relatively wealthy and needed donations less than places like Africa and the Caribbean. We lost them all at once.

But it was institutional funding that decreased — money for rent, wages and other expenses. Donations collected at the events for giving remained stable.

Not only did "The New Brazil" and "The New Gala" appear in 2010. There was also "The New **Brazil**Foundation." Leona informed the board that the time had come to pass leadership on to a younger cadre of people. She chose Patricia to take her place as CEO. The choice came naturally. Patricia had begun as a volunteer and donor in 2002 and, the following year, was already part of the advisory board.

e doadora em 2002 e, no ano seguinte, já fazia parte do conselho diretor. Leona permanece como presidente fundadora e é presidente do Conselho. Dessa forma, pôde voltar a morar no Rio e cuidar de outra iniciativa da instituição, o Fundo Carioca. A ideia havia surgido quando recebeu o título de carioca honorária, em dezembro de 2009. Leona viu nos grandes eventos que o Rio vai sediar um mercado de trabalho para os jovens entre 14 e 24 anos, de baixa renda. O Fundo Carioca mobiliza recursos e parceiros para investir em projetos que deem qualificação técnica e profissionalizante a eles. "A proposta do Fundo não é apenas qualificar, mas efetivamente inserir os jovens na vida profissional", dizem Caio Silveira e Ricardo Mello, que avaliaram a **Brazil**Foundation. As primeiras doações vieram em 2011, e serviram para apoiar três projetos, no Complexo do Alemão, no Morro dos Cabritos/Ladeira dos Tabajaras e no Morro dos Macacos/Parque Vila Isabel/ Pau da Bandeira. Uma parceria recente com a empresa Tyco, o Instituto Marquês de Salamanca e a Secretaria de Estado da Educação formou alunos em cursos de Segurança Eletrônica. O Fundo Carioca ainda é mantido por recursos de fora. O sonho de Leona é que seja de cariocas para cariocas.

Apesar da troca de comando, se há algo que não mudou desde a origem da **Brazil**Foundation é a ideia de ser uma ponte unindo países. A diferença é que ela não é mais apenas entre Estados Unidos-Brasil, e sim global. Graças a alguns voluntários, foram criados dois novos braços da fundação. Um deles também nos Estados Unidos, em Miami, e o outro na Austrália, em Sidney.

Miami já fez dois eventos beneficentes, que arrecadaram 415 mil dólares. A iniciativa surgiu inspirada por Daniela Fonseca, sócia de um escritório de advocacia. Ela havia auxiliado outras duas fundações, a YMCA e a Miami City Ballet, mas nada referente a seu próprio país. Até que, por meio de um doador, ouviu falar da instituição brasileira. Junto com a amiga Carolina Melo vai organizar um comitê permanente.

Leona remains Founding President and also Chair of the Board. Thus, she could move back to Rio and take care of another **Brazil**Foundation initiative, the Carioca Fund. The idea came to her when she received the title of Cidadão Honorário do Município do Rio de Janeiro in December 2009. Leona saw an upcoming opportunity in the large events that Rio willhost. She saw them as potential employment markets for young, low-income people, between 14 and 24 years of age. Carioca Fund mobilizes the resources and partners to invest in projects that will give this section of the population technical and vocational skills. "The purpose of the Carioca Fund is to train youth and to place them in professional life," said Caio Silveira and Ricardo Mello, who assessed the **Brazil**Foundation.

Carioca Fund received its first donations in 2011, which served to support three projects in the community neighborhoods of Complexo do Alemão, Morro dos Cabritos-Ladeira dos Tabajaras, and Morro dos Macacos-Parque Vila Isabel-Pau da Bandeira. A recent partnership with the security business Tyco, the Marquês de Salamanca Institute and the State Secretariat of Education, provided electronic surveillance training for students. Carioca Fund is still fully supported by foreign investment. It is Leona's dream that it becomes a community fund for Cariocas by Cariocas.

Despite the change in command, if there is one thing that has not changed since the beginning it is the idea that **Brazil**Foundation is a bridge connecting countries. Thanks to volunteers, two new branches of **Brazil**Foundation were created: the first in Miami, USA, and the second in Sydney, Australia – so it is also going global.

Miami has already held two benefit events that raised $415,000 dollars. Lawyer Daniela Fonseca inspired the initiative. She had helped two other foundations before, the YMCA and the Miami City Ballet, but had done nothing yet for her own country. Then, through a donor, she heard about **Brazil**Foundation. Together with her friend Carolina Melo, she organized a permanent committee.

– As pessoas em Miami não conheciam o trabalho da **Brazil**Foundation. Sabiam que ela organiza há muitos anos um gala em Nova York e que ele tem muito glamour. Mas não sabiam o motivo do Gala. Desconheciam o mais importante, que é o trabalho maravilhoso da fundação – diz Daniela, que veio ao Brasil ver os projetos apoiados pelos recursos obtidos em seus eventos e saiu ainda mais confiante no aumento do número de voluntários e doadores.

A Austrália entrou no mapa da **Brazil**Foundation em 2006, quando André Levy, diretor geral do Brazil Film Festival e morador de Sidney, resolveu arrecadar fundos para projetos sociais no Brasil.

– Eu já morava havia um ano e meio no país quando fui acometido por uma crise de consciência e comecei a buscar formas de fazer retornar ao Brasil muito do que ele tinha me oferecido, como a educação universitária gratuita.

Após pesquisar na internet, chegou à fundação. E assim, em 2011, surgia uma afiliada, a **Brazil**Foundation Australia (BF.au). O primeiro Gala aconteceu dia 26 de fevereiro de 2013, na Queensland Gallery of Modern Arte (GoMA), em Brisbaine, com o tema "That night in Rio". O evento inaugurou a BrazilWeek, com a première do Brazil Film Festival, que exibiu o filme "Heleno", de José Henrique Fonseca.

– E hoje temos colaboradores na Europa – diz Patricia. – Nossa próxima fronteira, a maior de todas, é o próprio Brasil. Centenas de brasileiros que conhecem a **Brazil**Foundation voltaram para seu país e querem ajudar.

Há planos de promover palestras no Brasil, a exemplo do que é feito nos Estados Unidos.

– Meu sonho é organizar visitas de nossos doadores aos projetos no Brasil. Raros conhecem pessoalmente. A gente leva especialistas do Brasil para os Estados Unidos, mas poucos vão assistir às palestras. Temos que tornar a experiência de doar mais gratificante.

Patricia quer ainda compartilhar melhor todo o conhecimento acumulado nesses anos. Afinal, a instituição reuniu um banco de dados invejável desde 2002, que pode servir de fonte para pesquisas sobre os mais diferentes temas e públicos-alvos. Esse material também permite ver em que áreas se deve concentrar os recursos nos próximos anos.

O fundamental é que a vocação da **Brazil**Foundation para construir laços sempre se mantenha.

"People in Miami had heard about the glamorous galas in New York over the years, without knowing what they were for. They didn't know what was most important: **Brazil**Foundation's marvelous work," said Daniela who came to Brazil to visit the projects supported with funds raised at the Miami Galas, and returned even more confident about expanding the volunteer and donor base.

Australia came onto the **Brazil**Foundation map in 2006, when André Levy, general director of the Brazil Film Festival and a Sydney resident, decided to raise funds for social projects in Brazil.

"I had already lived in the country for a year and a half when I had a crisis of conscience and began to look for ways to give back to Brazil for all I had received, such as a free university education," he explained.

An Internet search led him to **Brazil**Foundation. Thus, in 2011, an affiliate emerged: **Brazil**Foundation Australia (BF.au). The first gala occurred on February 26, 2013, in the Queensland Gallery of Modern Art (GoMA) in Brisbane with the theme, "That Night In Rio." The event inaugurated Brazil week, and the Brazilian film "Heleno" by José Henrique Fonseca premiered at the Brazil Film Festival.

"And today we have collaborators in Europe," says Patricia. "Our next frontier, the biggest of all, is Brazil itself. Hundreds of Brazilians who know **Brazil**Foundation have returned to their country and want to help."

There are plans to promote lectures in Brazil, modeled on the US lecture series. Patricia says:

My dream is to organize donor visits to projects throughout Brazil. Few know them personally. We take specialists from Brazil to the United States, but attendance at the lectures is limited. We want to make the experience of donating more gratifying.

And she wants to more effectively share all the knowledge collected over the years.

After all, we have accumulated a substantial database since 2002, which could be a research archive on many different themes for different audiences. This material also allows us to see where to concentrate our resources over the coming years. What is essential is to always maintain **Brazil**Foundation's vocation for building connections.

Distantes, mas próximos

Distant, but close

21

São laços que unem doadores nos Estados Unidos e gestores no Brasil em torno de um mesmo desejo de melhorar as condições sociais do país.

– Eu vejo um ponto em comum entre eles: a inquietação – diz Patricia.

Esse espírito irrequieto e idealista contagia e aproxima gente tão distante geograficamente quanto Luiz Ribeiro, morador de Nova York, e Rita Auxiliadora Teixeira, de Capanema, no Nordeste do Pará.

Ribeiro é um dos voluntários mais antigos da **Brazil**Foundation nos Estados Unidos. Ele fotografa todos os eventos da fundação.

– Não tenho dinheiro, somente meu talento de documentar. Minhas fotos podem ajudar a incentivar mais doações, além de chamar a atenção para meus compatriotas mais necessitados.

Nascido em Diamantina, Minas Gerais, mudou-se para Nova York em 1986. Era faxineiro de um estúdio fotográfico. Certa ocasião, uma máquina quebrou e, de tanto ver o dia a dia da empresa, ele soube consertar. Virou técnico, acabou como um dos editores de fotografia do jornal "The New York Post" e hoje trabalha como fotógrafo freelancer. Quando completou 50 anos, em 2011, foi visitar pela primeira vez projetos beneficiados pela instituição. Esteve no Rio, no Ceará, no Maranhão, na Paraíba e na Bahia. No fim, emocionado, disse que tinha sido seu melhor presente de aniversário.

The connection between donors in the United States and project managers in Brazil is based in the desire to improve the social conditions of the country.

"I see a common point between them: the unrest," says Patricia.

It is the restless and idealistic spirit that bridges and infects people as geographically far flung as Luiz Ribeiro, a resident New Yorker and Rita Auxiliadora Teixeira who lives in Capanema, in Northeast Pará.

Ribeiro is one of **Brazil**Foundation's earliest volunteers in the United States. He photographs all the events.

"I have no money to give, only my documenting talent. My photos can help encourage more donations, as well as draw attention to my neediest countrymen," says Luiz Ribeiro.

Born in Diamantina, Minas Gerais, Ribeiro moved to New York in 1986, where he worked as a janitor in a photographic studio. On one occasion, a camera broke, and having seen the day-to-day workings of the business, he figured out how to fix it. He became a camera technician, and later one of the photo editors at the New York Post. He now works as a freelance photographer. When he turned 50, in 2011, he decided to visit **Brazil**Foundation-sponsored projects in Rio, Ceará, Maranhão, Paraíba and Bahia. In the end, thrilled, he said it was the best birthday gift ever.

It's really gratifying to meet representatives of a Brazil that resists surrender, such as Rita Auxiliadora Teixeira. At 19, she was already

É mesmo gratificante conhecer de perto representantes de um Brasil que resiste a se entregar, como Rita Auxiliadora Teixeira. Aos 19 anos, ela já estava engajada no Movimento das Mulheres do Nordeste Paraense (MMNEPA), que surgiu com base num diagnóstico das principais necessidades de trabalhadoras rurais e urbanas, quilombolas, ribeirinhas e extrativistas da região. O maior problema era de saúde. Muitas mulheres morriam de câncer do colo do útero enquanto aguardavam exame médico.

– Só existia um laboratório no Pará que fazia a leitura das lâminas. O exame chegava às vezes 15, 30, 40 dias depois da morte da pessoa, informando que ela estava com câncer e tinha que procurar o hospital mais próximo o mais urgentemente possível. Naquela altura, a gente já tinha enterrado o parente – diz Rita.

Mas não foi fácil cobrar mudanças. Ao decidirem se organizar, enfrentaram resistências. Seguiram em frente e identificaram outro grave problema: a violência contra a mulher. A partir de um congresso, perceberam que uma forma de combate era dar autonomia financeira. A aprovação em 2006 do projeto "Mulheres protagonistas do desenvolvimento político, social e econômico" pela fundação permitiu ao MMNEPA promover capacitação de lideranças, profissionalização e estímulo à participação na vida pública. Famílias ganharam autonomia econômica a partir da produção, manipulação e comercialização de produtos agroecológicos e nativos da Região Amazônica.

– Identificamos os municípios com alto índice de violência, formamos mulheres e conseguimos tirá-las da situação em que estavam. Demos outra vida, com qualidade, autoestima e orgulho de se dizer mulher trabalhadora rural, sem se sentir menos valorizada que as dos centros das cidades.

Ao mesmo tempo em que apoia esses agentes de transformação social, a **Brazil**Foundation descobre um país mais plural e inventivo e permite acompanhar as modificações na sociedade.

engaged in the Movimento das Mulheres do Nordeste Paraense (MMNEPA), a women's movement in Northeast Pará (MMNEPA) which emerged as a response to the main needs of rural and urban workers, quilombolas, riparian and extrativist populations in the region. The biggest issue was health. Many women died of uterine cancer while awaiting the results of their medical examinations.

"There was only one lab in Pará to examine pap smears. The results often arrived 15, 30, 40 days after the person's death, indicating that she had cancer and should direct herself to the nearest hospital as urgently as possible. By that time, we had already buried our relative," says Rita.

But it is not easy to demand change. When deciding to organize, these women faced resistance. Moving forward they identified another serious problem: violence against women. At a women's congress, they realized that one way to fight was through financial autonomy. In 2006, **Brazil**Foundation approved support of the project, "Mulheres Protagonistas do Desenvolvimento Político, Social e Econômico" enabling women to become political, social and economic protagonists by promoting MMNEPA leadership and profession qualification training, and by encouraging women's participation in public life. Families have since gained economic independence from the manufacture, handling and marketing of agro-ecological and native products of the Amazon region. Rita says:

We identified municipalities with high levels of violence, organized the women there, and got them out of the situations they were in. We gave them another life, with quality, self-esteem, and the pride to say I'm a rural woman worker, without feeling less valued than those from the inner city.

"O número elevado e a abrangência de origens dos projetos revelavam também a mudança de mentalidade das comunidades brasileiras, que passavam a não esperar mais pelo poder público para resolver seus problemas", diz a historiadora Márcia de Paiva em seu trabalho sobre os dez anos da fundação.

Também Susane, em seu balanço pessoal dos dez anos, destaca esse ponto:

– O brasileiro está mais consciente. Mudou muito sua capacidade de reconhecer seus direitos e lutar por eles.

E esse compromisso com a melhora da sociedade encontra na BrazilFoundation um parceiro ideal. Ao olhar para a fundação é possível perceber que sua trajetória deixa como contribuição para o terceiro setor um modelo único de atuação, inovador do começo – a captação de recursos no exterior e a mobilização de brasileiros que moram fora e querem ajudar de alguma forma – ao fim – a aplicação do dinheiro em pequenas e médias ONGs brasileiras. Entre uma ponta e outra, a BrazilFoundation também se diferencia por não se preocupar só em distribuir a verba. Com seu apoio técnico, traduzido nas capacitações e nos monitoramentos, ela facilita a conclusão dos projetos e estimula o fortalecimento institucional das organizações, que se profissionalizam, ganham legitimidade, conquistam novos financiadores, ampliam suas atividades, divulgam melhor seu trabalho e influenciam políticas públicas.

Tudo bem de acordo com o princípio que sempre inspirou e norteou Leona Forman e Susane Worcman: a busca por um país mais justo e com oportunidades de acesso a todos.

By supporting agents of social transformation, BrazilFoundation reveals a country of diversity and inventiveness, and tracks societal changes. "The high number and wide scope of the projects also demonstrates a change of mentality within Brazilian communities, which no longer expect the government to solve their problems," says the historian Márcia de Paiva, in her work about BrazilFoundation's tenth anniversary.

Susane, in her personal observations on the ten-year mark, makes this point as well: "Brazilians are more conscious. Their capacity to recognize their rights and to fight for them has changed greatly."

In the commitment to improving society, BrazilFoundation is the ideal partner. It has been a unique and innovative model of philanthropic activity in the third sector since the beginning – fundraising abroad and mobilizing ex-pat Brazilians who wish in some way help small- and mid-sized NGOs in Brazil. Between its Rio and New York offices, BrazilFoundation is concerned with how to distribute funds and how to provide technical support through training and monitoring. It acts as a facilitator to social initiatives wishing to complete projects and encourages institutional core strengthening of organizations that will then professionalize, improve their legitimacy, find new funders, extend their activities, publicize their best work, and influence public policy.

All's well according to the principle that inspired and guided Leona Forman and Susane Worcman: to seek a more just country with access and opportunity for all.

Notas

(1) No passado, quilombos eram comunidades que serviam de esconderijo para escravos fugitivos. Hoje, no Brasil, existem mais de duas mil comunidades quilombolas, formadas por remanescentes dos escravos.

(2) Os brasileiros Roberta Mazzariol, Marcello Hallake, Tina Molloy, Marcos Troyjo, Simone Klabin, Mariana Ochs, Acia Stern e Ilana e Robert Lipsztein; a colombiana Bibiana Betancourt; o argentino Paul Eisenberg; o italiano Giovanni Spinelli; a norueguesa Tullan Holnquist; e os americanos Mary Kallaher e Michelle Demers; além do casal Leona (brasileira) e Shepard Forman (americano). Logo em seguida entraram a brasileira Monica Eisenberg, o americano Joel Feazell, a americana-brasileira Alex Forman e o americano-brasileiro Jacob Forman.

(3) Caio Silveira e Ricardo Mello no trabalho "BrazilFoundation 10 anos – Avaliação", parte do projeto sobre os dez anos da BrazilFoundation.

(4) Márcia de Paiva no trabalho "Memória BrazilFoundation", Museu da Pessoa, parte do projeto sobre os dez anos da BrazilFoundation.

(5) Gestão inclui planejamento estratégico, gestão financeira, mobilização de recursos e sustentabilidade, cooperação e atuação em rede. E Comunicação Institucional inclui posicionamento, ferramentas de comunicação, assessoria de imprensa e marketing social.

(6) Mais tarde, essas artesãs, que fazem parte da Rede de Mulheres Produtoras do Pajeú, diversificaram sua atuação, com a produção de alimentos nos quintais e a comercialização de sabão ecológico feito com óleo de cozinha.

(7) Segundo Caio Silveira e Ricardo Mello em "BrazilFoundation 10 anos – Avaliação", um dos principais reconhecimentos obtidos pelas organizações é sua seleção como Ponto de Cultura, o que veio a ocorrer, na quase totalidade dos casos examinados no trabalho, somente após o apoio da fundação.

(8) Site do CEPFS. www.cepfs.org

(9) "Grande Circular", jornal laboratório da Fanor de 23 de maio de 2012.

(10) Pro bono é, literalmente, "para o bem". No caso do Direito, advocacia pro bono quer dizer advocacia para o bem. "Pode ser definida como prestação gratuita de serviços jurídicos na promoção do acesso à justiça." Fonte: http://www.probono.org.br/advocacia-pro-bono

(11) Depoimento a Márcia de Paiva no trabalho "Memória BrazilFoundation", Museu da Pessoa.

(12) Em 2003, o conselho foi ampliado e ganhou mais cinco integrantes: o publicitário Armando Strozenberg, o cônsul-geral do Brasil em Nova York Julio Cesar Gomes dos Santos, o ex-ministro da Fazenda Marcílio Marques Moreira, a vice-presidente executiva da Parceiros Voluntários Maria Elena P. Johannpeter e a presidente do Emerging Markets Growth Fund, Nancy Englander.

(13) Como conta a historiadora Márcia de Paiva, o primeiro ciclo contou com Cristovam Buarque, que apresentou o programa "Bolsa Escola"; o então presidente do Fleet/BankBoston Henrique Meirelles, que falou da organização Travessia, criada em São Paulo e que trabalha com crianças de rua; Hélio Mattar, presidente da Abrinq e do Akatu, que discorreu sobre responsabilidade social das empresas; Rebecca Raposo, diretora-executiva do Gife (Grupo de Indústrias, Fundações e Empresas), que trouxe 20 trainees para trocar ideias sobre ação social no Brasil; e Peggy Dulany, fundadora do Synergos Institute, que compartilhou sua experiência na criação de uma fundação comunitária num subúrbio carioca.

(14) Os cinco voluntários mais ativos passaram a ser chamados de supervoluntários, viraram diretores e foram convidados para fazer parte do conselho diretor.

(15) Esse Banco de Dados, chamado de POng, reúne informações sobre todas as propostas que chegam à fundação. Carla Lima é a responsável pelo banco, que pode servir para uma pesquisa sobre as demandas das ONGs.

(16) Outra iniciativa da BrazilFoundation é o Banco de Projetos, que conta com cerca de 15 projetos já apoiados pela fundação, com bons resultados. Ele é refeito anualmente. Potenciais doadores nos Estados Unidos e no Brasil têm à disposição esse cadastro, que serve de fonte para investimentos sociais.

Endnotes

(1)   In the past, quilombos were community hiding places for escaped slaves. Today there are more than two thousand quilombo communities in Brazil, where descendents of slaves still live.

(2)   Among those present at the first meeting: Brazilians and Brazilian-Americans – Roberta Mazzariol, Marcello Hallake, Tina Molloy, Marcos Troyjo, Simone Klabin, Mariana Ochs, Acia Stern and Ilana and Robert Lipsztein; from Columbia – Bibiana Betancourt; from Argentina – Paul Eisenberg; from Italy – Giovanni Spinelli; from Norway – Tullan Holmquist; and Americans Mary Kallaher and Michelle Demers. Soon after Monica Eisenberg, Joel Feazell, Alex Forman and Jacob Forman joined the group.

(3)   Caio Silveira and Ricardo Mello were two analysts who acompanied the work of BrazilFoundation during a full year to produce the document BrazilFoundation 10 anos – Avaliação ("Evaluation"), as part of the 10-Year Anniversary Project led by Susane Worcman. In addition to their report, other aspects of this project were "Memory" and "Systemization," described here in depth in "Chapter 17: Time to Take Stock.")

(4)   Historian Márcia de Paiva was responsible for producing a BrazilFoundation "Memory" by Museu da Pessoa, an organization specializing in memoir and oral history.

(5)   Management includes strategic planning, financial budgeting, fundraising and sustainability, cooperation, and networking activities. Institutional communication includes positioning, communications, publicity, and social marketing.

(6)   Later these artisans, who are members of the Rede de Mulheres Produtoras do Pajeú, would diversify their activities by growing food in their yards and commercializing an ecologically made soap, made from a cooking oil base.

(7)   According to Caio Silveira and Ricardo Mello in BrazilFoundation 10 anos – Avaliação, being selected as a Brazilian Ministry of Culture Ponto de Cultura is a valuable recognition for an NGO working with culture. In the cases covered in this study, the honor is bestowed almost exclusively after the organization has received BrazilFoundation support.

(8)   Centro de Educação Popular e Formação Social - CEPFS – from the website: www.cepfs.org

(9)   "Grande Circular" of Fanor's newspaper laboratory. May 23, 2012.

(10)   Pro bono publico literally means "for the public good." In Law, pro bono council "can be defined as free legal services rendered in the interest of access for all to justice." Source: http://www.probono.org.br/advocacia-pro-bono

(11)   Testimony to Márcia de Paiva, for Memória BrazilFoundation, Museu da Pessoa.

(12)   In 2003, the board was enlarged by five new members: advertising man Armando Strozenberg; Council-general of Brazil in New York Julio Cesar Gomes dos Santos; former minister of finance Marcílio Marques Moreira; executive vice-president of Parceiros Voluntários Maria Elena P. Johannpeter; and the president of Emerging Markets Growth Fund, Nancy Englander.

(13)   The way historian Márcia de Paiva tells it, the first cycle included Cristovam Buarque who presented the project, "Bolsa Escola," working toward putting victims of child labor back in school; the then president of Fleet/Bank Boston, Henrique Meirelles, who spoke of the organization Travessia, from São Paulo, working with street children; Hélio Mattar, president of Abrinq and Akatu, who spoke of the social responsibility of businesses; Rebecca Raposo, executive director of GIFE (Grupo de Indústrias, Fundações e Empresas) who brought twenty trainees to exchange ideas about social activities in Brazil; and Peggy Dulany, founder of Synergos Institute, who shared her experience in creating a community foundation in a Brazilian suburb.

(14)   The five most active volunteers, known as the supervolunteers, became directors and were invited to join the board of directors.

(15)   This database, called POng, is useful for collecting information about all the proposals that submitted to BrazilFoundation. Carla Lima is responsible for the database, which could be used for research on the needs of NGOs.

(16)   Another BrazilFoundation initiative is the Project Bank, containing roughly fifteen successful BrazilFoundation-supported projects. It is updated every year. Potential donors in the United States and Brazil have at their fingertips this resource for social investments.

66 *Palavras*
Words

Audácia é o impulso da alma que leva a cometer ações extraordinárias, desprezando obstáculos e riscos. É sonhar alto, pensar grande e acreditar. É perseverar, junto com os homens e mulheres com o mesmo impulso de audácia. Foi assim que construímos a **Brazil**Foundation.

Faz dez anos que um pequeno grupo de 17 brasileiros e americanos, reunido em minha casa em Nova York, no dia 15 de novembro de 2000, viu com clareza o sonho de que íamos fazer uma diferença, propondo preencher uma lacuna de solidariedade nas nossas vidas de brasileiros morando no exterior.

Contamos com o apoio de pessoas reconhecidas por sua contribuição à sociedade – como Dona Ruth Cardoso – que nos emprestaram seus nomes, ajudando-nos a obter confiança, o maior desafio que a sociedade impunha.

Desde então fizemos até mais do que poderíamos ter imaginado – investimos em 300 organizações de sociedade civil brasileira, captando mais de US$20 milhões.

Entrando na segunda década, contamos com novas lideranças, equipes hábeis em Nova York e no Rio, voluntários e investidores na nossa missão. Valorizamos a nossa independência e a capacidade de focar nas prioridades definidas pelos projetos sociais que recebemos de todos os estados brasileiros. Afinamos nossa metodologia de identificar, apoiar e conectar os agentes brasileiros de transformação social.

O livro que se encontra em suas mãos conta histórias de heróis e heroínas de olhar crítico e sagaz, e, mesmo com recursos limitados, confiantes nas soluções que propõem, realizando parcelas cada vez maiores do sonho de um Brasil mais justo para todos.

Me vejo entre eles, indivíduos com audácia, com compromisso social na alma. A mulher e o homem - que dados uma oportunidade, transformam o seu mundo. É algo no qual sempre acreditei e vi ser possível na experiência da **Brazil**Foundation!

Mil agradecimentos a todos que fazem esse trajeto conosco.

Leona S. Forman
Presidente Fundadora

*T*he soul's impulse that leads us to extraordinary acts in spite of obstacles and risks might be called audacious. Audacity is to dream, think big and have faith, and to persevere alongside men and women with the same impulse. **Brazil**Foundation was constructed on audaciousness.

It's been ten years since an initial group of 17 Brazilians and Americans gathered in my home in New York, on 15 November 2000, with a common dream. It was clear to us that there was a gap in our solidarity, as Brazilians living abroad, and coming together we could make a difference.

We counted on the support of people known for their contribution to society, such as Dona Ruth Cardoso, to loan us their names in our efforts at building trust, the greatest challenge that society imposed.

Since then, we've accomplished more than we ever imagined - investing in 300 Brazilian civil society organizations, raising more than $20 million dollars.

Beginning a second decade, we count on new leadership, skilled teams in New York and Rio, volunteers and donors invested in our mission. We value our independence and our capacity to focus on the priorities defined by social projects submitted from every Brazilian state. We refine our methodology for identifying, supporting and networking Brazilian agents of social change.

The book you have in your hands recounts the stories of heroes and heroines with a critical sensibility and a vision. Despite their limited resources, and confident in the solutions they propose, they implement ever growing parcels of their dream that Brazil be a more just society for all.

I see myself among them, individuals with audacity and social commitment in the soul. Something I've always believed: women and men - when given the opportunity – transform their worlds. I've seen it become real in the experience of **Brazil**Foundation! A million thanks to all who make the journey with us.

Leona S. Forman
Founding President

Eu já completara 60 anos quando ganhei um dos melhores presentes da minha vida – a oportunidade de organizar e desenvolver no Brasil a **Brazil**Foundation.

Eram muitos os desafios a serem enfrentados ao iniciarmos as atividades da fundação no país. Um território imenso, com realidades tão diversas e tão pouco conhecidas, nos aguardava. Recursos limitados, pelos quais éramos responsáveis, deveriam ser aplicados com o melhor resultado possível. E ouso dizer que os primeiros dez anos da **Brazil**Foundation foram construídos sobre três pilares – afeto, confiança e respeito –, elementos nem sempre presentes nas relações entre instituições financiadoras e organizações apoiadas.

Desde as primeiras viagens para seleção de projetos conheci um Brasil lutador, criativo e forte. Pessoas que perseguiam ideais enfrentando o desinteresse de governos, os preconceitos da sociedade em geral e a cobiça de alguns. O reconhecimento do potencial dessas pessoas marcou desde o início as atividades da fundação onde a confiança, o respeito e o afeto construíram uma forte relação entre nós e o nosso público, com resultados surpreendentes.

Aprendemos muito nesse tempo. Como selecionar entre centenas de propostas as poucas que poderíamos atender, como reconhecer riscos que valiam a pena enfrentar, o valor da orientação e do monitoramento, a importância de uma equipe entrosada, leal e confiável.

O território brasileiro tornou-se próximo. Conhecemos suas estradas de terra, suas cidadezinhas com nomes engraçados e um só telefone, a seca do sertão e as comunidades de beira dos rios. O valor das manifestações culturais e as dificuldades da educação, a luta pelos direitos humanos e a força dos projetos de desenvolvimento local.

Crescemos, mas, como disse Che Guevara, sem perder a ternura jamais. Cresceu também o Brasil – o celular e o computador encurtaram as distâncias, mas, infelizmente, não resolveram as graves carências que marcam seus habitantes mais necessitados. O país rico não chegou às suas comunidades mais pobres. E a fundação tem ainda um longo caminho a percorrer.

Esse livro é um agradecimento profundo a todos os que acreditaram e participaram desses dez anos – doadores, nossas leais e dedicadas equipes de trabalho e as organizações sociais espalhadas em todo o país. Que ele seja uma semente vigorosa é a minha esperança.

Susane Worcman
Vice-Presidente Fundadora
Diretora Executiva Brasil

I already was 60 when I received one of the best presents of my life – an opportunity to organize and develop **Brazil**Foundation in Brazil.

Many were the challenges we would have to face in initiating activities in the country. An immense territory with such diverse and little known realities awaited us. Limited resources, for which we were responsible, had to be applied with the best results possible. And I'll be so bold as to say that BrazilFoundation's first ten years were built on three pillars – caring, trust and respect, elements uncommonly present between financial institutions and grantees.

From the early trips to select projects, I began to see a Brazil of creativity, determination and force. People who pursued ideas, confronting the apathy of governments, the prejudices of society in general and the avarice of a few. Recognizing the potential of these people and entering into an caring, trusting and respectful relationship with them and our public, marked **Brazil**Foundation's activities from the start, with surprising results.

We learned a lot back then. How to select among the hundreds of proposals the few that we could attend to, how to recognize risks that were worth taking on, the value of guidance and monitoring, the importance of a suitable team, loyal and trustworthy. The Brazilian territory became known to us. We travelled its dirt roads, its little towns with funny names and only one telephone, the drought of the Sertão and the communities on the shores of its rivers. We came to understand the value of cultural expression and the difficulties in education, the fight for human rights and the power of local development projects.

We grew hard, as Che Guevara said, without ever losing our tenderness. Brazil also grew hard – cellphones and computers shortened distances, but unfortunately did not resolve the grave wants that marked its neediest inhabitants.

This book is in profound thanks to all who believed and participated during these ten years – investors, our loyal and dedicated teams and social organizations throughout the country. My hope is that we have planted a vigorous seed.

Susane Worcman
Founding Vice President
Executive Director Brazil

A BrazilFoundation surgiu de uma ideia simples concebida por Leona Forman – mobilizar a comunidade brasileira nos Estados Unidos e construir uma ponte filantrópica conectando pessoas interessadas em contribuir para o desenvolvimento social do Brasil e organizações da sociedade civil brasileira trabalhando para transformar a realidade social em suas comunidades. A ideia atraiu um grupo de voluntários em Nova York, enquanto Susane Worcman foi convidada para liderar os esforços da Fundação no Brasil. Sob a liderança delas, e através de um trabalho realizado com muita dedicação, a BrazilFoundation conseguiu alcançar resultados expressivos em sua primeira década de operações: uma comunidade de 7.000 doadores e apoiadores, 17 milhões de dólares arrecadados, 300 organizações apoiadas no Brasil, beneficiando dezenas de milhares de pessoas. Este livro, em grande parte, narra como essas duas mulheres extraordinárias criaram e dirigiram ao longo de dez anos uma Fundação que mudou o panorama da filantropia no Brasil.

Foi com um sentimento de honra e humildade que assumi o cargo de presidente e CEO da BrazilFoundation em 2010, após ter participado das atividades da fundação como voluntária e membro do Conselho Diretor durante 8 anos. Após uma década de trabalho intenso, a Fundação está num momento precioso no qual pode avaliar suas conquistas e usar o conhecimento institucional acumulado para definir novas maneiras de engajamento e investimento social estratégico num Brasil do século XXI. A BrazilFoundation hoje em dia conta com uma rede cada vez mais global de amigos e apoiadores e uma comunidade única de organizações parceiras que podem atuar como mentoras para a próxima geração de lideranças e agentes de transformação social.

Olhamos para o futuro com confiança e otimismo e esperamos continuar sendo uma plataforma que dá visibilidade e cataliza ideias que transformam o Brasil e constrói pontes que contribuem para mudanças positivas. Agradecemos a confiança e apoio de todos aqueles que, como nós, desejam um Brasil melhor.

Patricia Lobaccaro
CEO BrazilFoundation

BrazilFoundation started with a very simple idea, conceived by Leona Forman: to mobilize the Brazilian diaspora in the United States and build a philanthropic bridge that would connect those with a desire to make a difference and organizations effecting change at the community level in Brazil. It gained strength in NY with the interest of a group of volunteers, while Susane Worcman led the efforts of the foundation in Brazil. Under their leadership, **Brazil**Foundation achieved impressive results in its first decade of operation: a community of 7,000 donors and supporters, 17 million dollars raised and invested in 300 organizations in Brazil, benefiting tens of thousands of people. This book, in great part, chronicles how these two remarkable women created and oversaw a Foundation that changed the landscape of philanthropy in Brazil.

It was with a sense of honor and humility that I took on the responsibility of leading the Foundation as its new president and CEO in 2010, after being involved as volunteer and member of the Board for eight years.

After one decade of hard work, the Foundation is now in a place where it can take stock and reflect on what it has achieved, and use its accumulated institutional knowledge to define new ways to engage in meaningful and productive philanthropy in a 21st century Brazil environment. **Brazil**Foundation stands strong with an increasingly global network of friends and supporters and a community of incredible grantees, who can act as a teachers and champions for the next generation of change-makers.

We look to the future with optimism and confidence and hope to continue to be a platform for sharing and advancing ideas that transform Brazil and build bridges that bring positive change. We are grateful for the trust and support of all those interested in a better Brazil.

Patricia Lobaccaro
CEO **Brazil**Foundation

Sobre o Projeto **Brazil**Foundation 10 Anos

Selecionar 20 organizações que formassem um conjunto representativo do trabalho da BrazilFoundation em seus primeiros 10 anos foi uma difícil tarefa.

Para tentar dar o devido reconhecimento ao rico universo de organizações e iniciativas integrantes da história da fundação, sentimos a necessidade de criar, além dos selecionados, duas categorias adicionais:

Destaques
Para organizações que se destacaram pelo seu desenvolvimento, projetos e conquistas.

Menção Especial
Para organizações com bons projetos e grande potencial de desenvolvimento.

About **Brazil**Foundation 10 Years

It was a difficult task to select 20 organizations that could form a group representative of BrazilFoundation's accomplishments in its first decade.

To give due recognition to the rich universe of organizations and initiatives that are part of BrazilFoundation history, we created two more categories in addition to those selected:

Outstanding
Organizations that stand out for their development, projects and conquests

Special Mention
Organizations with good projects and great potential for development

Organizações Selecionadas
Selected Organizations

Ação Moradia
Uberlândia, MG

Associação Barraca da Amizade
Fortaleza, CE

Associação de Desenvolvimento Agrícola e
Comunitária de Lagoa da Boa Vista
Seabra, BA

Associação de Formação e Reeducação Lua Nova
Sorocaba, SP

Associação dos Paraplégicos de Uberlândia – APARU
Uberlândia, MG

Associação Estação da Cultura
Arcoverde, PE

Associação Vidança Cia. de Dança do Ceará
Fortaleza, CE

Casa de Santa Ana
Rio de Janeiro, RJ

Centro de Agricultura Alternativa Vicente Nica - CAV
Turmalina, MG

Centro de Defesa dos Direitos da Criança e do
Adolescente de Ijuí – CEDEDICAI
Ijuí, RS

Centro de Educação Popular e Formação
Social – CEPFS
Teixeira, PB

Coletivo Ação Juvenil de Tucano – COAJ
Tucano, BA

Grupo Sociocultural e Ambiental Cem Modos
Santa Rita, MA

Instituição de Incentivo à Criança e ao Adolescente de
Mogi Mirim – ICA
Mogi Mirim, SP

Instituto Coração de Estudante
Pentecoste, CE

Movimento de Mulheres do Nordeste
Paraense - MMNEPA
Capanema, PA

Rádio Comunitária Santa Luz FM
Santaluz, BA

Reciclarte
Niterói, RJ

Rede de Mulheres Produtoras do Pajeú
Afogados da Ingazeira, PE

THYDEWÁ – Salvador
Salvador, BA

Associação de Apoio ao Projeto Quixote
São Paulo, SP

Destaque
Outstanding

Associação das Mulheres de Nazaré da Mata –
AMUNAM
Nazaré da Mata, PE

Associação de Apoio ao Projeto Quixote
São Paulo, SP

Associação Educacional e Assistencial Casa
do Zezinho
São Paulo, SP

Centro Diocesano de Apoio ao Pequeno Produtor
Pesqueira, PE

Fundação Brasil Cidadão para Educação, Cultura
e Tecnologia – FBC
Fortaleza, CE

Fundação de Defesa dos Direitos Humanos
Margarida Maria Alves
João Pessoa, PB

Grupo Mulher Maravilha
Recife, PE

Instituto Agroflorestal Bernardo Hakvoort – IAF
Turvo, PR

Instituto de Artes Tear
Rio de Janeiro, RJ

Instituto de Ecocidadania Juriti
Joazeiro do Norte, CE

Núcleo Especial de Atenção à Criança – NEAC
Campo Grande, RJ

Programa Social Crescer e Viver
Rio de Janeiro, RJ

Sociedade Musical 5 de Novembro – REVOLTOSA
Nazaré da Mata, PE

Centro das Mulheres da Vitória de Santo Antão
Vitória de Santo Antão, PE

Menção Especial
Special Mention

Associação Comunitária dos Moradores de
Caponga da Bernarda
Aquiraz, CE

Associação Cultural e Comunitária de São
Gonçalo "SEMPRE VIVA"
São Gonçalo do Rio das Pedras, MG

Associação de Pais e Professores da Escola de
Educação Básica São José
Herval d'Oeste, SC

Associação de Trabalhadores em Ofícios
Vários, Carroceiros e Catadores de Materiais
Recicláveis – ATRACAR
Gravataí, RS

Centro das Mulheres da Vitória de Santo Antão
Vitória de Santo Antão, PE

Espaço Artaud
Rio de Janeiro, RJ

Grupo de Apoio aos Meninos de Rua – GAMR
Gravatá, PE

Grupo Sócio-Cultural Código
Japeri, RJ

Instituto Maramar para a Gestão Responsável
dos Ambientes Costeiro e Marinho de Santos
Santos, SP

OCA - Instituto de Assistência, Tratamento,
Capacitação e Pesquisa em Saúde, Educação
e Cultura
Teresópolis, RJ

Sindicato dos Trabalhadores no Serviço Público
do Município de Gentio do Ouro – SINDSERV
Gentio do Ouro, BA

Casa de Santa Ana
Rio de Janeiro

*A Casa de Santa Ana tem muito orgulho de estar entre as instituições beneficiadas pela **Brazil**Foundation nos seus 10 anos de existência. Toda a equipe tem muita gratidão, não apenas pelo apoio financeiro, que é importante, mas, sobretudo, pelo carinho, respeito, confiança, e pelo muito que nos tem ensinado nesses anos.*

*Casa Santa Ana is very proud to be one of **Brazil**Foundation's grantees during the first ten years of existence. Our whole team is very grateful, not only for the financial support, which is important, but, above all for the care, respect, faith and more that they have taught us over the years.*

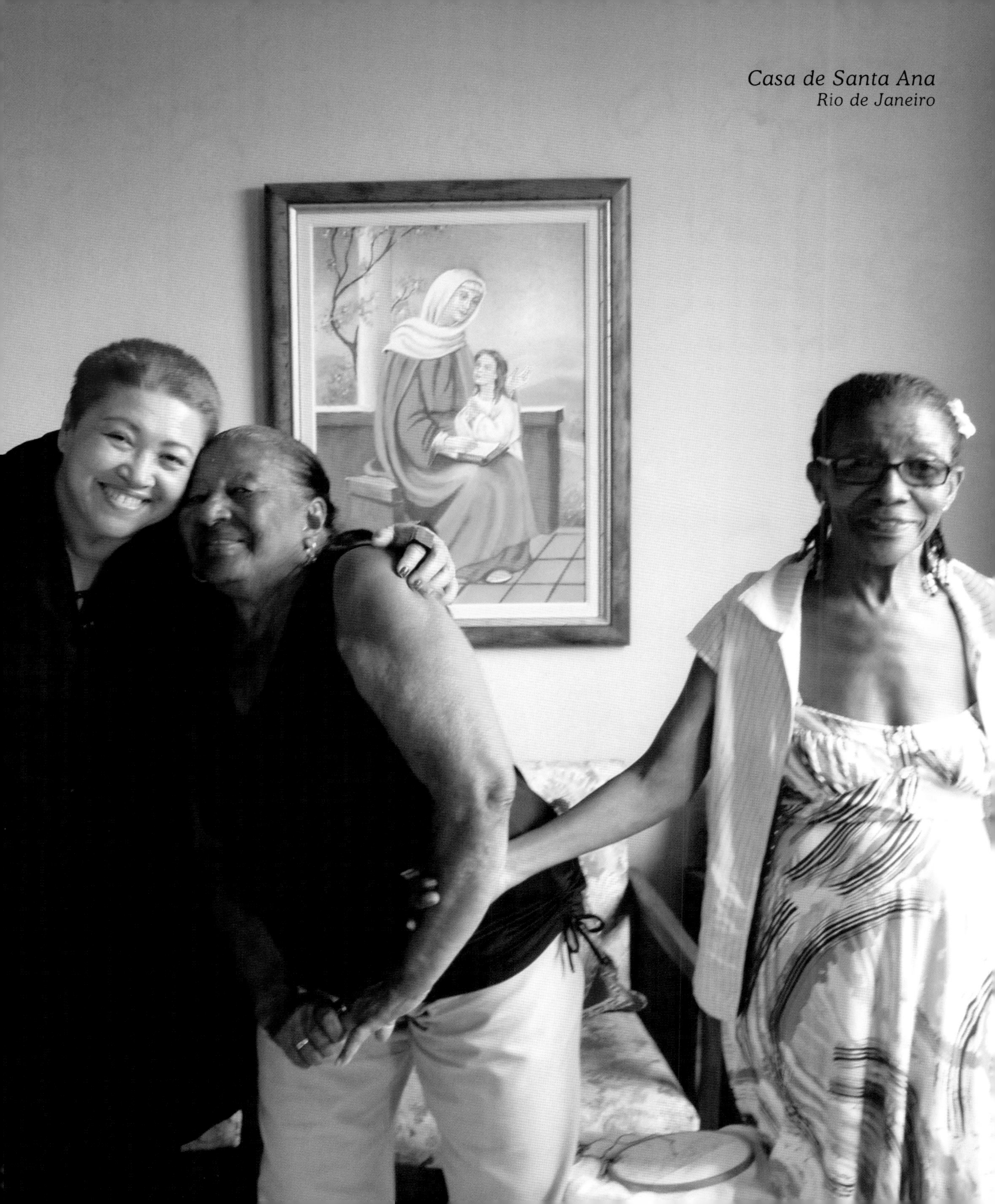

Casa de Santa Ana
Rio de Janeiro

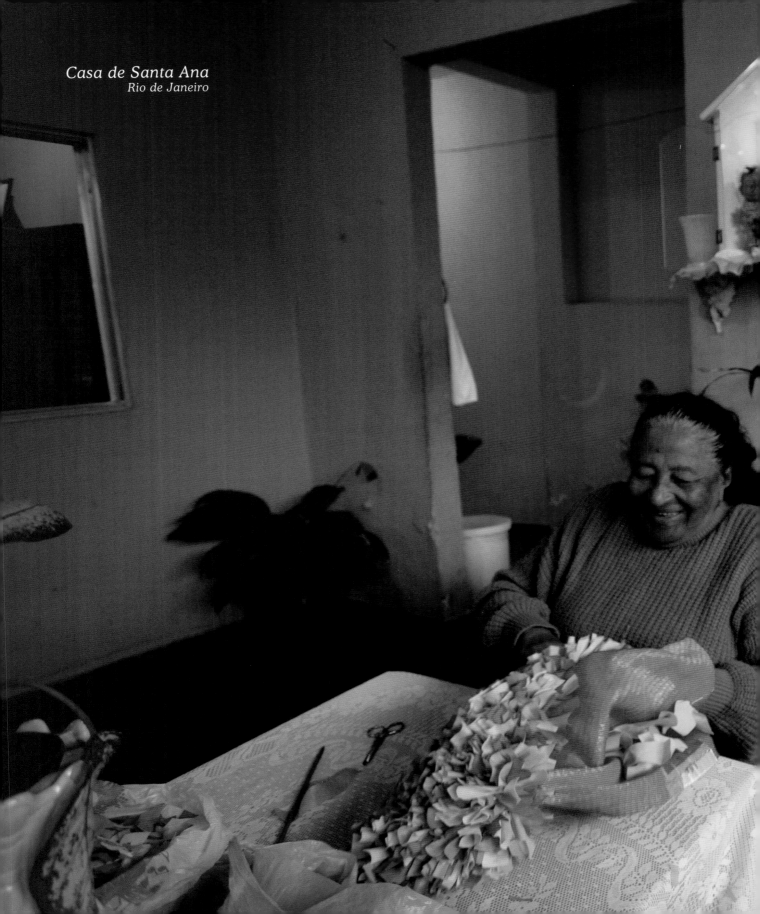

ICA
Mogi Mirim, São Paulo

Instituição de Incentivo à Criança e ao Adolescente de Mogi Mirim- ICA
Mogi Mirim, São Paulo

*A **Brazil**Foundation acreditou em nós. Mandávamos na época mais de 10 projetos ao ano e nenhum obtínhamos resultado. Com o apoio, nos colocamos em outro patamar, abrindo portas para novas parcerias.*

***Brazil**Foundation believed in us. At the time we would submit ten projects a year and none got results. With their support, we were in another arena opening, doors for new partnerships.*

Associação Vidança
Cia de Dança do Ceará
Fortaleza, Ceará

Associação Vidança
Cia de Dança do Ceará
Fortaleza, Ceará

Associação de Formação e
Reeducação Lua Nova
Sorocaba, São Paulo

Associação Estação da Cultura
Arcoverde, Pernambuco

Associação Estação da Cultura
Arcoverde, Pernambuco

*Todas as conquistas
da Estação da Cultura
se devem ao apoio da
BrazilFoundation, que foi
a primeira instituição a
acreditar no nosso projeto.*

*All of Estação da Cultura's
accomplishments come from
BrazilFoundation support.
It was the first institution to
believe in our project*

Rede de Mulheres
Produtoras do Pajeú
Afogados da Ingazeira, Pará

Rede de Mulheres
Produtoras do Pajeú
Afogados da Ingazeira, Pará

Centro de Educação Popular
e Formação Social-CEPFS
Teixeira, Paraíba

Centro de Educação Popular
e Formação Social-CEPFS
Teixeira, Paraíba

Ação Moradia
Uberlândia, Minas Gerais

Associação de Desenvolvimento Agrícola e Comunitário de Lagoa da Boa Vista
Seabra, Bahia

Depois que a parte financeira acabou nós continuamos em contato. Não sentimos que o projeto acabou, continuávamos recebendo orientações no dia a dia o que para nós foi muito gratificante. Nos sentimos felizes com a parceria que deu toda credibilidade não só à associação como às pessoas que direta ou indiretamente estão fazendo seus trabalhos.

After the financial support finished, we stayed in touch. We did not feel that our project had ended. We continued to receive day-to-day orientation, which was very gratifying to us. We felt content with the partnership that gave credibility to the association and also those people who, directly or indirectly, are doing the work.

Associação de Desenvolvimento
Agrícola e Comunitário de
Lagoa da Boa Vista
Seabra, Bahia

Reciclarte
Niterói, Rio de Janeiro

Reciclarte
Niterói, Rio de Janeiro

Associação dos Paraplégicos de
Uberlândia - APARU
Uberlândia, Minas Gerais

Grupo Sociocultural Cem Modos
Santa Rita, Maranhão

Grupo Sociocultural Cem Modos
Santa Rita, Maranhão

Centro de Defesa dos Direitos da Criança e do Adolescente de Ijuí-
CEDEDICAI
Ijuí , Rio Grande do Sul

Centro de Agricultura
de Vicente Nica-CAV
Turmalina, Minas Gerais

*Centro de Agricultura
de Vicente Nica-CAV*
Turmalina, Minas Gerais

*Esse apoio foi um dos
primordiais para que o CAV
se projetasse como uma
entidade referencia no apoio
e fomento da economia
popular solidária no tocante
às feiras livres.*

*This support was essential
to CAV at the beginning
in order to project itself
as a point of reference for
the support and foment of
popular solidarity economy
with regards to open
markets.*

*Associação das Mulheres
de Nazaré da Mata-AMUNAN
Nazaré da Mata, Pernambuco*

O financeiro era importante... Mas, o apoio e a oportunidade significaram muito mais. Houve uma "mexida" na nossa bagagem, que a partir de então, construímos uma nova história, criamos ferramentas estruturadoras e reflexões mais aprofundadas e profissionalizantes do nosso futuro.

Financing is important. . . . But, support and opportunity have meant much more. There was a "shake up" in our baggage, and from that point on, we constructed a new history, created structuralizing tools and reflections that went deeper and were professionalizing for our future.

Grupo Sociocultural Código
Japeri, Rio de Janeiro

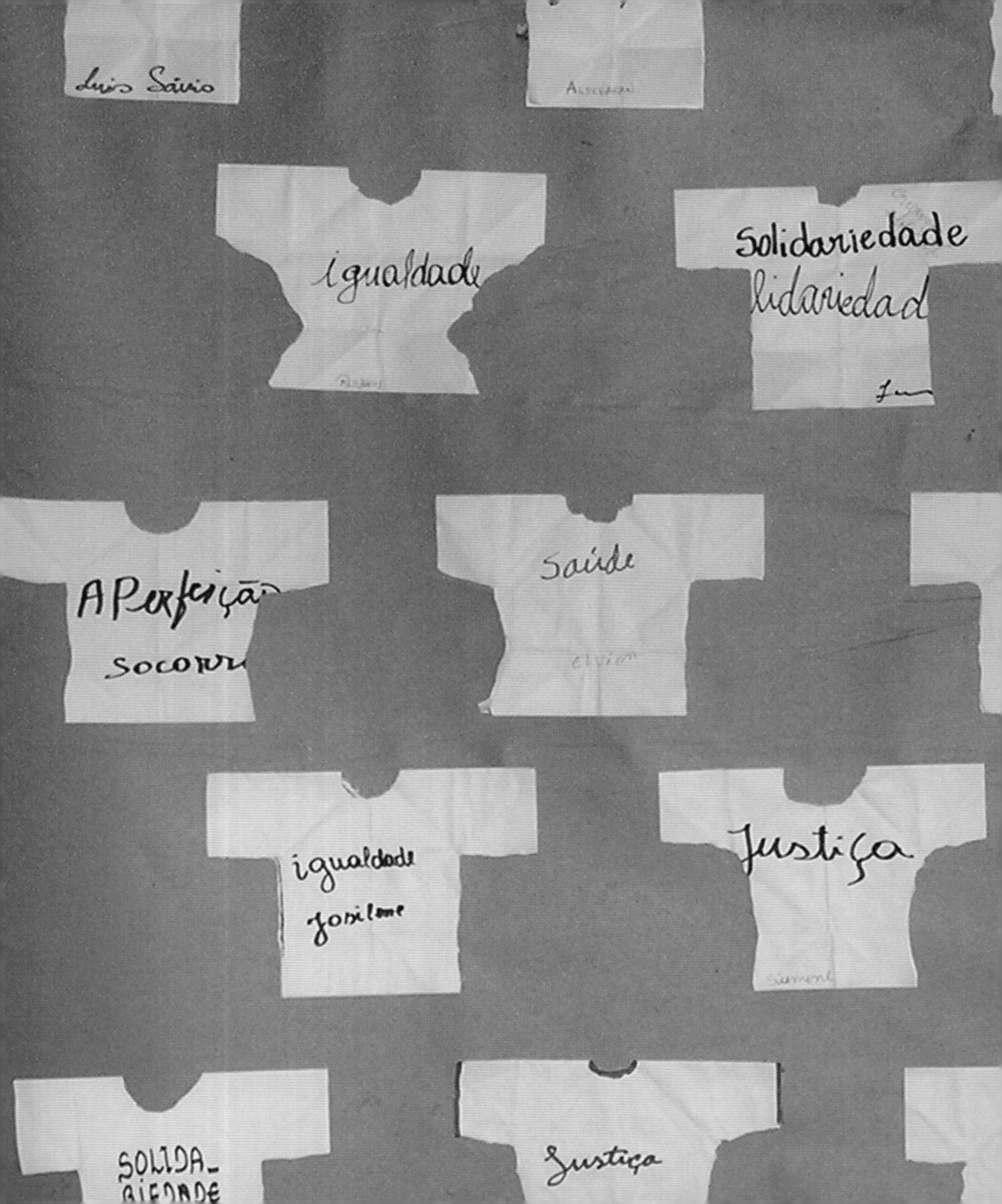

Luis Sávio

Aldivan

igualdade

Solidariedade
lidariedad

A Perfeição
socorro

Saúde
elvira

igualdade
josilene

Justiça
suemene

SOLIDA-
RIEDADE

Justiça

BrazilFoundation

Dados & Números
Data & Numbers

Base de Dados da **Brazil**Foundation - o POng
POng - **Brazil**Foundation Database

O POng reúne em uma só base – Banco de Dados Access - registro de todos os projetos enviados desde a primeira Seleção Anual da **Brazil**Foundation, em 2003. Inicialmente foi pensado como uma ferramenta operacional que permitisse maior organização e controle sobre as etapas da seleção. Precisávamos nos organizar face às centenas de propostas recebidas, que aumentavam a cada ano, num modelo padrão de organização de dados. Foram criadas então as ferramentas de pesquisa, para que se pudesse consultá-lo de forma segura e prática.

Em termos gerais, encontramos no POng toda a informação coletável que tenha constado nas propostas recebidas como: dados cadastrais das instituições, detalhamento das propostas, dados sobre o público-alvo como idade, gênero e demais informações que o caracterizassem, além do resumo orçamentário e o parecer do analista responsável pela avaliação do projeto. O Banco hoje constitui uma base de pesquisa utilizada pela Fundação para levantamentos como número de inscritos, distribuição nas áreas temáticas, geográficas, etc.

POng Access Database – contains registers of all projects that have come in through **Brazil**Foundation's Yearly Open Call for Projects since 2003. Originally it was considered an operational tool for greater organization and control over the stages of selection. We needed to organize and standardize the hundreds of proposals we were receiving and which increased year by year. Thus, we created research tools so that we could search the database in a safe and practical manner.

In general terms, we could search in POng for all the collectable data that made up submitted proposals such as, institutional registration information, proposal details, substantive data about the target audience, gender and other characteristics; in addition there were budget summaries and the technical analysis of the analyst responsible for the project evaluation. POng is now a research tool utilized by **Brazil**Foundation for inquiries about the numbers of projects inscribed, distribution by thematic or geographic area, etc.

Apesar da gênese fundamentalmente voltada para o lado prático, percebemos, ao longo do processo de idealização e construção do POng, seu potencial como fonte de informação sobre o terceiro setor no Brasil.

Seus registros abrangem particularmente o universo de organizações/ associações de pequeno e médio porte presentes no cenário brasileiro e que têm sido o foco de apoio da Fundação. Analisando os dados por ano, é possível traçar uma linha de tendências das demandas no campo social em resposta ao edital da BrazilFoundation, em seus 12 anos de atividades.

Como todo processo dinâmico e também em face das transformações que acontecem em uma organização ao longo de mais de uma década, consideramos que o POng não estará finalizado jamais, crescerá continuamente, seja por inserção de dados das seleções anualmente, seja por incorporação de novos recursos.

O POng foi construído com base em uma dinâmica que se reciclou e agregou novos valores e intenções. É desejável que possa crescer e incorporar os novos anseios e práticas da Fundação em relação aos processos seletivos, às organizações que financia e ao público que atende.

Despite a set up fundamentally directed to a practical purpose, we perceived over time during the process of development and construction of POng, how it has potential as a source of information about the third sector in Brazil.

The data particularly covers the universe of small and mid-scale organizations/ associations in Brazil that constitute the focus of BrazilFoundation support. Analyzing the data by year it is possible to trace the emphasis of demands in the social field, in response to the BrazilFoundation Open Call, over a twelve-year period of activity.

As every dynamic process and especially in face of the transformations that occur within an organization over the course of a decade, we think POng will never be complete, will always be in continuous growth, due to our adding data from the annual selections or to the incorporation of new tools.

POng was constructed to be dynamic and to recycle and aggregate new values and intentions. We desire its continued growth by incorporating new BrazilFoundation issues and practices that emerge in the selection process, which organizations it funds and what public it serves.

Alinhar o POng ao crescimento institucional da **Brazil**Foundation e ao desejo da instituição de gerar conhecimento e análise sobre a atividade do terceiro setor no Brasil, é um desafio constante.

A seguir apresentamos um resumo das possibilidades do POng e algumas informações extraídas dele.

Apesar da gênese fundamentalmente voltada para o lado prático, percebemos, ao longo do processo de idealização e construção do POng, seu potencial como fonte de informação sobre o terceiro setor no Brasil.

It is a constant challenge to keep POng in alignment with **Brazil**Foundation's institutional growth and our wish to encourage awareness and analysis on third sector activity in Brazil.

Following, we will present a summary of POng's possibilities and some information extracted from the database.

Inscribed, distribution by thematic or geographic area, etc.

Áreas Temáticas e Subdivisões Apoiadas pela **Brazil**Foundation
Thematic Areas and Sub-fields Supported by **Brazil**Foundation

Área de Atuação Area of Activity	Subáreas Sub-fields
Educação Education	Alfabetização Literacy Complementação Escolar Afterschool Programs Educação Ambiental Environmental Education Educação para Cidadania Educating for Citizenship Qualificação Profissional Professional Training Acesso ao Ensino Superior Access to Higher Education Qualificação de Professores Teacher Training Tecnologias de Informação e Comunicação na Educação Information and Communication Technologies for the Education
Saúde Health	Orientação Sexual Sexual Education Prevenção Preventative Care Segurança Alimentar Nutritional Safety Saúde da Mulher Women's Health
Direitos Humanos Human Rights	Promoção de Direitos Humanos Promote Humans Rights Assistência a Vítimas de Violação Abuse Survivors Support Acesso à Justiça Legal Access
Cidadania Desenvolvimento Socioeconômico Social Economic Development	Desenvolvimento Local Participatory Local Development Direitos Essenciais Essential Rights Formação de Lideranças Leadership Building Geração de Trabalho e Renda Work and Income Generation Desenvolvimento Institucional Institutional Development Negócios Sociais Social Business
Cultura Culture	Cultura Indígena Indigenous culture Cultura Popular Popular Culture Artes como Ferramenta para Educação e Cidadania Art as a Tool for Education and Citizenship

NÚMERO DE PROJETOS APOIADOS POR ÁREA TEMÁTICA
NUMBER OF GRANTS GIVEN IN THEMATIC AREAS

área / area	número de projetos / number of projects
Cidadania Desenvolvimento Socioeconômico / Social Economic Development	76
Cultura / Culture	35
Direitos Humanos / Human Rights	38
Educação / Education	52
Saúde / Health	25

TOTAL 226

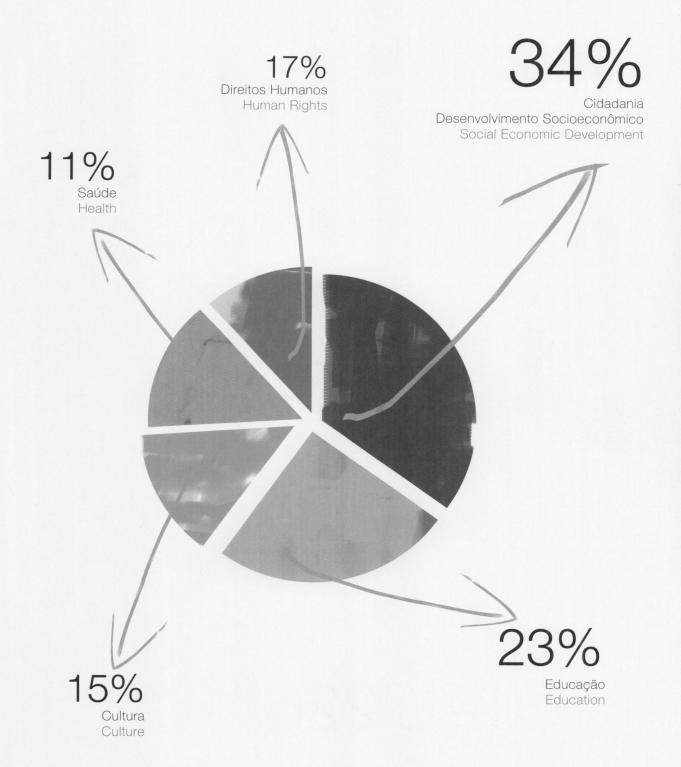

17%
Direitos Humanos
Human Rights

34%
Cidadania
Desenvolvimento Socioeconômico
Social Economic Development

11%
Saúde
Health

23%
Educação
Education

15%
Cultura
Culture

PROJETOS APOIADOS POR REGIÃO 2002-2011
GRANTS GIVEN BY REGIONS 2002-2011

região region	número de projetos number of projects
NORTE NORTH	17
NORDESTE NORTHEAST	91
SUDESTE SOUTHEAST	95
CENTRO-OESTE WEST CENTRAL	5
SUL SOUTH	18

TOTAL 226

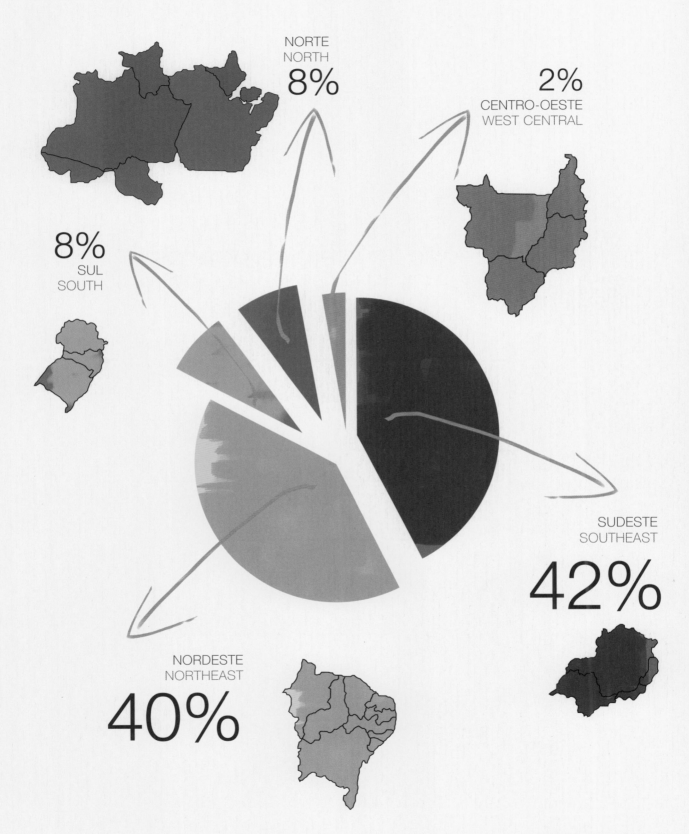

NORTE
NORTH
8%

2%
CENTRO-OESTE
WEST CENTRAL

8%
SUL
SOUTH

SUDESTE
SOUTHEAST
42%

NORDESTE
NORTHEAST
40%